RELAÇÕES RACIAIS E DESIGUALDADE NO BRASIL

Dados Internacionais de Catalogação na Publicação (CIP)
(Câmara Brasileira do Livro, SP, Brasil)

Santos, Gevanilda
Relações raciais e desigualdade no Brasil / Gevanilda Santos. São Paulo: Selo Negro, 2009. (Consciência em debate / coordenada por Vera Lúcia Benedito)

Bibliografia.
ISBN 978-85-87478-38-2

1. Desigualdade social 2. Discriminação - Brasil 3. Negros - Relações sociais 4. Preconceitos - Brasil 5. Racismo - Brasil I. Benedito, Vera Lúcia. II. Série.

09-07777 CDD-305.420981

Índice para catálogo sistemático:

1. Brasil : Relações raciais e desigualdade : Sociologia 305.420981

RELAÇÕES RACIAIS E DESIGUALDADE NO BRASIL

Gevanilda Santos

Editora executiva: **Soraia Bini Cury**
Editoras assistentes: **Andressa Bezerra e Bibiana Leme**
Coordenadora da coleção: **Vera Lúcia Benedito**
Capa, projeto gráfico e diagramação: **Gabrielly Silva/Origem Design**
Impressão: **Sumago Gráfica Editorial**

1ª reimpressão

Selo Negro Edições
Departamento editorial:
Rua Itapicuru, 613 – 7º andar
05006-000 – São Paulo – SP
Fone: (11) 3872-3322
Fax: (11) 3872-7476
http://www.selonegro.com.br
e-mail: selonegro@selonegro.com.br

Atendimento ao consumidor:
Summus Editorial
Fone: (11) 3865-9890

Vendas por atacado:
Fone: (11) 3873-8638
Fax: (11) 3873-7085
e-mail: vendas@summus.com.br

Impresso no Brasil

Aos meus pais, Epaminondas José
dos Santos e Odete Gomes dos Santos (*in
memoriam*), que, a seu modo, ensinaram-me
a ser uma mulher guerreira e feliz.

Sumário

Introdução

A história do Brasil contada na versão oficial sempre enalteceu os feitos dos vencedores, dos generais e o heroísmo da elite nacional. É recente a preocupação com a voz e as narrativas históricas da óptica dos povos vencidos. O novo tempo muito nos inspira a iluminar dimensões pouco exploradas da história do negro brasileiro.

É tempo de a história revisitar a realidade brasileira com novos olhares. Esta é muito maior que a ideia que fazemos dela, é dinâmica, e compreendê-la requer múltiplos olhares.

Este livro apresenta o ponto de vista histórico das relações raciais e as desigualdades no Brasil. Oferece ao leitor a oportunidade de conhecer novos caminhos para uma educação antirracista e, sobretudo, para estimular seus valores intrínsecos. A igualdade das relações sociais, a consciência política da diversidade histórica e o respeito às diferenças são caminhos que nos levam à cidadania plena.

Há duas décadas, os jovens aprendiam na escola que a *miscigenação ou mestiçagem* era boa para os brasileiros, e, graças a ela, não existiam entre nós o *preconceito*, a *discriminação racial* e, essencialmente, o *racismo*.[1] E que, se caminhássemos rapidamente na direção do branqueamento (mistura de raças[2]), chegaríamos à tranquila convivência racial, com pouquíssimos casos de racismo.

Essa realidade não se concretizou e, dessa maneira, cristalizou-se um tabu, convencionando o silêncio em toda e qualquer vinculação entre juventude e educação antirracista.

É próprio da juventude questionar, contestar e modificar, e, nessa medida, a cada geração o jovem rompe barreiras e protagoniza uma cultura juvenil nova e moderna. Esse fator, entre outros, modificou a relação entre a escola e o jovem. Hoje, há mais espaço para debater atitudes, práticas e opiniões.

....

1. *Preconceito* significa atitude desfavorável para com um grupo ou indivíduos que nele se inserem, baseada não em seus atributos reais, mas em ideias preconcebidas. *Discriminação racial* é uma ação, atitude ou manifestação contra uma pessoa ou grupo de pessoas em razão da sua "cor". *Racismo* é o conjunto de teorias, crenças e práticas que estabelecem uma hierarquia entre as raças (*Orientações e ações para a educação das relações étnico-raciais*, p. 215-17).
2. No século XXI, graças aos avanços da genética, cientistas contestam a validade científica do termo "raça", argumentando que os grupos populacionais não são homogêneos e que as diferenças aparentes entre as "raças" nada mais são que diferenças adaptativas ao meio ambiente, não comprometendo o desenvolvimento da espécie humana. Assim, caiu por terra a ideia de raças superiores ou inferiores. Todavia, o fato de o termo ser largamente utilizado na identificação dos grupos humanos nos permite dizer que o conceito "raça" foi construído socialmente para indicar lugares hierarquizados, muito embora não tenha comprovação científica.

Desse modo, já temos elementos e valores para enfrentar o tabu de que o racismo não existe e para aprender a conhecer, respeitar e valorizar as identidades de todos.

Para que possamos debater as consequências da desigualdade racial no Brasil, conheceremos novos sentidos da relação racial e a desigualdade social construída entre negros e brancos no período histórico republicano. Com esse novo olhar, poderemos compreender o papel ideológico do mito da democracia racial brasileira. A leitura desta obra revelará, ainda, o que está por trás da ambiguidade das relações raciais e os perigos de uma política eugênica; as várias experiências no campo da pesquisa científica progressista; e as ações políticas de protesto para desnudar as desigualdades no Brasil.

Onde essa estrada vai dar? Entraremos em contato com o racismo do tipo brasileiro. Ele vem de longa data. É um fenômeno dinâmico e reconfigura-se ao longo da história sempre que encontra transformações em nossa sociedade.

Ao longo das décadas posteriores à proclamação da República, o racismo passou por vários estágios. Enquanto na República Velha o Brasil conheceu um racismo aberto, fundamentado em doutrinas vindas da Europa, na década de 1930 as atitudes racistas foram mais dissimuladas. Por isso, configurou-se o chamado "racismo cordial"[3]. A miscigenação, antes considerada motivo de atraso para o desenvolvimento nacional, passou a ser valorizada e apresentada

....

3. A expressão "racismo cordial" é originária da expressão "homem cordial", cunhada pelo historiador Sérgio Buarque de Holanda no livro *Raízes do Brasil*, publicado em 1936. Para mais informações, veja Kupstas, 1997, p. 59.

como um desejo de todos os brasileiros para que se apagasse a "mancha da escravidão". O nacionalismo do governo de Vargas procurou neutralizar o comportamento hostil no campo das relações raciais e reinventar uma nação brasileira plurirracial, urbana e industrial.

Nos trinta anos seguintes, a redemocratização imprimiu maior dinâmica à sociedade brasileira. Ressurgiram os protestos negros no campo da cultura, a exemplo do Teatro Experimental do Negro. O cenário das comemorações do Centenário da Abolição do Tráfico de Escravos foi marcado pela realização do Congresso do Negro Brasileiro, que reivindicava uma legislação antirracista. A produção acadêmica sobre o preconceito racial também aumentou consideravelmente.

Nos anos 1970, época de protesto e contestação, o mito da democracia racial não passou incólume, sendo o alvo preferencial do movimento social negro – que ressurgiu na efervescência da luta contra a ditadura militar.

Naquela época, intelectuais, músicos, cineastas e estudantes, aprofundando sua consciência, reconfiguraram palavras, discursos e estatísticas capazes de decifrar as relações raciais antes que ela solapasse a democracia. Os protestos negros nas ruas reinventaram a luta por direitos e imprimiram nova dinâmica às relações raciais, que deixaram de ser vistas como cordiais. A partir daí, surgiram argumentos factíveis para que construíssemos novos paradigmas capazes de promover a igualdade racial e democratização do Brasil.

Com a abertura política, os movimentos negros foram adquirindo cada vez mais autonomia e capacidade de ação, situação que se consolidou nas últimas duas décadas.

Para compreendermos melhor essa revolução histórica, temos de começar com a seguinte pergunta: por que existe racismo no Brasil? Diante do vasto campo das desigualdades em nosso país, este livro decifra o mito da democracia racial e denuncia o racismo que sempre permeou nossa sociedade.

Vamos conhecer essa história.

1
A desigualdade racial brasileira

Nos últimos anos, o cenário nacional passou por grandes e rápidas transformações econômicas, políticas e sociais de caráter neoliberal, com forte impacto na desigualdade social e no aumento da exclusão de muitos brasileiros.[4] Porém, a situação de exclusão dos dias de hoje está presente desde a estruturação inicial da sociedade brasileira.

Como assinala o historiador Caio Prado Jr. (1989), a identidade nacional é fortemente marcada pelo sistema colonial

....

4. O neoliberalismo defende a total liberdade de mercado, sem interferência do Estado na regulamentação da economia. Surgido nos anos 1970, com as ideias de intelectuais e economistas liberais dos Estados Unidos e da Inglaterra, foi amplamente promovido pelo Fundo Monetário Internacional (FMI), principalmente após a queda do muro de Berlim, em 1989. Os governos de orientação neoliberal defendem a limitação da participação do Estado na atividade econômica e social, promovendo a privatização de empresas públicas. Na prática, o neoliberalismo gerou graves problemas sociais, como o desemprego em massa.

e escravista, em cuja sociedade desenvolveu-se a cultura patriarcal e etnocêntrica[5].

Em tais fatores encontramos as raízes da desigualdade na sociedade brasileira, sobretudo na forte concentração de terra e nas relações sociais advindas do trabalho escravista, que deram origem a uma rígida estratificação de classes sociais. A distância social entre a elite proprietária rural e a massa dos trabalhadores delineou as bases da atual concentração de renda.

O fim da escravatura, da qual o Brasil foi o último país a se livrar, não aboliu o monopólio da terra, fonte de poder econômico e principal meio de produção até as primeiras décadas do século XX. A classe dos trabalhadores brasileiros fez-se com a importação de mão de obra imigrante e com a exclusão dos trabalhadores nacionais.

Com o crescimento populacional e o acelerado ritmo da urbanização nos séculos XIX e XX, a sociedade tornou-se mais complexa, mas a concentração da renda aprofundou-se. Com ela, a desigualdade social jogou para a margem da sociedade a maioria dos brasileiros, sobretudo a população negra.

No topo da pirâmide social ficaram os brancos letrados, donos de terra, com direito a voto e a manifestar livremente

....

5. O conceito de patriarcado explica a dominação e exploração das mulheres pelos homens. No Brasil, a dominação da mulher nasceu na família colonial, com o prestígio do senhor de engenho, e se expandiu por toda a sociedade. Sua principal característica é a distribuição desigual do poder, dos papéis sociais e das oportunidades em detrimento das mulheres. Já a cultura etnocentrista considera a si própria o padrão civilizatório de todas as demais, geralmente negando tudo que é diferente dos seus costumes e hábitos. Além de Prado Jr. (1989), confira também Saffioti (2004).

sua opinião. Na base, todos aqueles não brancos, sem nenhum tipo de posse e sem escolaridade.

OS NÚMEROS DA DESIGUALDADE

O Índice de Desenvolvimento Humano é calculado pela Organização das Nações Unidas (ONU) para investigar a qualidade de vida nos países do globo com base na distribuição de renda, na educação e nas condições de saúde. No ranking mundial de 2007, o Brasil está em 70º lugar, sendo considerado um país de desenvolvimento humano elevado.

O economista paquistanês Mahbub Ul Haq criou o Índice de Desenvolvimento Humano (IDH) para medir o desenvolvimento social dos países. No caso da educação, considera-se a taxa de alfabetização e a taxa de matrícula; no caso da longevidade, considera-se a expectativa de vida ao nascer; para mensurar a renda, considera-se o Produto Interno Bruto per capita (PIB total dividido pelo número de habitantes do país) medido em dólares.

O IDH varia entre 0 e 1. Os países que atingem menos de 0,499 pontos são considerados de desenvolvimento baixo. Os que atingem entre 0,500 e 0,799 têm desenvolvimento médio. Os que atingem pontuação igual ou superior a 0,800 são altamente desenvolvidos.

Fonte: www.pnud.org.br/idh

Porém, o Índice de Desenvolvimento Humano do Brasil é bem diferente quando observamos os dados por cor/raça.

Ao relacionar o IDH do Brasil com o quesito cor/raça dos brasileiros, constata-se que a qualidade de vida da população negra é pior que a da população branca. A evolução do IDH de brancos e negros entre 1991 e 2005, demonstrada no gráfico abaixo, revela uma diferença constante entre a qualidade de vida da população branca e negra. Se a linha evolutiva do IDH dos brancos é marcada pelo índice superior a 0,750 – considerado alto –, a linha evolutiva do IDH dos negros nem chega a esse valor. As paralelas traduzem a desigualdade entre negros e brancos no Brasil.

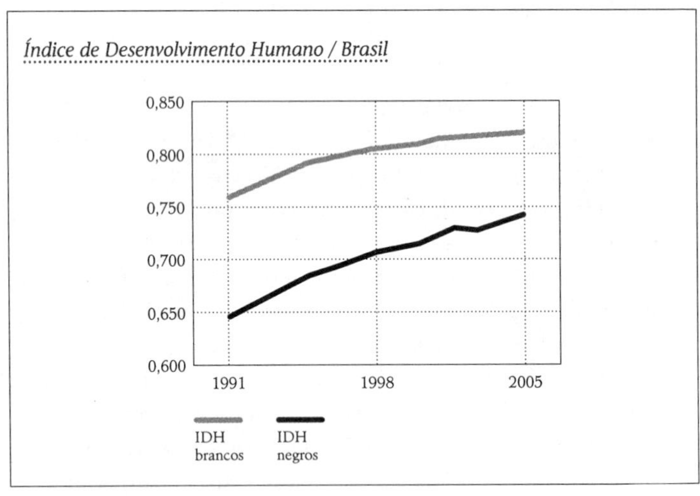

Fonte: Pnud 2005.

A magistral pesquisa de Paixão (2004, p. 245-64) sobre as Desigualdades Raciais e as Taxas de Analfabetismo com base nos dados do último Censo Demográfico realizado no Brasil, em 2000, revela que

> entre a população brasileira maior de 15 anos havia 15,3 milhões de analfabetos e 32,8 milhões de analfabetos funcionais (pessoas com menos de quatro anos de estudo). [...] Dos 15,3 milhões de analfabetos brasileiros, 9,7 milhões eram negros. Entre os 32,7 milhões de analfabetos funcionais, os negros totalizavam 18,8 milhões de pessoas. Assim, segundo os indicadores do Censo Demográfico de 2000, a taxa de analfabetismo dos negros maiores de 15 anos, em todo o Brasil, era de 18,7%, e a taxa de analfabetismo funcional da população negra maior de 15 anos era de 36,1%. Estes percentuais eram substancialmente maiores do que o verificado entre a população branca, cujos percentuais de analfabetismo e de analfabetismo funcional eram de, respectivamente, 8,3% e 20,8%. Ou seja, em relação ao indicador de analfabetismo funcional, a taxa verificada entre os negros era 73% maior do que a observada entre os brancos; no caso do taxa de analfabetismo, este valor relativo era 125% maior.[6]

Já a análise da situação educacional de negros e brancos entre 1995 e 2005, realizada pelo Instituto de Pesquisa Econômica Aplicada (Ipea) (2007, p. 286), concluiu que

> o número médio de anos de estudo, tanto para brancos como para negros, cresce de forma mais ou menos constante, havendo uma leve tendência em direção à redução do hiato: enquanto em 1995 o hiato entre negros e brancos era de 2,1 anos, em 2005 caiu para 1,8. A esta taxa, a igualdade entre negros e brancos ocorrerá em 67 anos.

....

6. Veja também Paixão, 2005.

História semelhante pode ser contada para os jovens de 15 a 24 anos. A diferença se reduziu de 1,9 em 1995 para 1,5 em 2005 e a esta taxa a igualdade ocorrerá somente em 40 anos.

Anos médios de estudo, segundo cor/raça e grupos etários – Brasil, 1995-2005

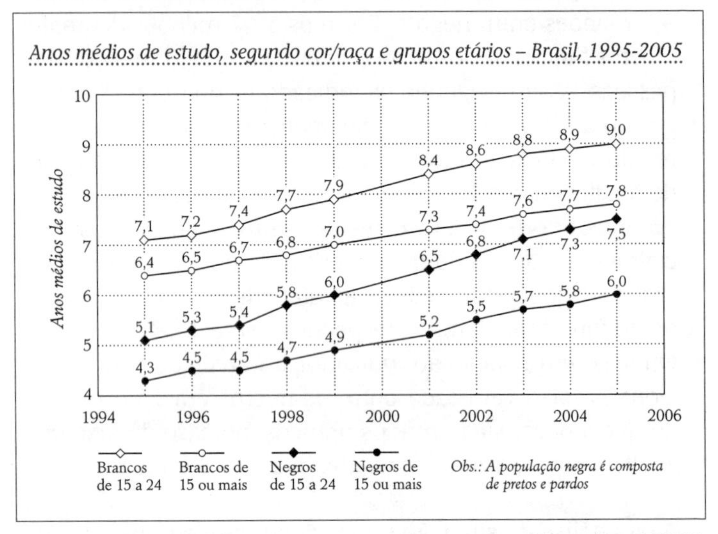

Fonte: Pnud 2005.

Essa série de considerações demonstra o ritmo lento da diminuição da desigualdade e a interdependência das relações raciais entre o negro e o branco. Ela não diz respeito somente àqueles que se identificam com a cor/raça negra. Segundo o sociólogo Octavio Ianni (1972), a pobreza do negro tem que ver com a riqueza do branco; que o genocídio da juventude negra está ligada à segurança do jovem branco, protegido nos grandes condomínios; e que a emancipação da mulher de classe média liga-se à grande participação da mulher negra no setor do serviço doméstico.

O elevadíssimo padrão de desigualdade racial brasileira estimula o debate sobre qual é o compromisso dos brasileiros com a redução das desigualdades em geral. O debate é o primeiro passo para a formação da consciência; em seguida, vem a atitude antirracista.

EXISTE RACISMO NO BRASIL?

A ideia do brasileiro cordial é muito divulgada. Supõe uma vocação nacional para a convivência harmônica diante da desigualdade racial aqui existente, e, ao mesmo tempo, esconde o modo de ser preconceituoso do brasileiro.

O modo de organização política da nossa sociedade, na maioria das vezes autoritário, criou a cultura da impunidade e da injustiça diante de reivindicações, reclamações, denúncias de humilhação e maus-tratos de todo tipo. O objetivo dessa organização política é naturalizar a desigualdade para fortalecer a convicção de que não há nada a fazer.

Nesse contexto, o debate sobre temas relativos ao preconceito racial, à prática discriminatória e à concepção do racismo no Brasil foi afastado da História, dos currículos escolares, do cotidiano do jovem leitor e de toda a sociedade. A impressão é que não existe racismo no Brasil.

Atualmente, essa convicção é reforçada sobretudo pela mídia, um agente de socialização informal e moderno que veicula sistematicamente opiniões e informações controversas de forma sensacionalista.

A imagem do negro nos meios de comunicação – e as representações sobre as relações raciais brasileiras (novelas, propagandas, programas humorísticos, reportagens policiais, vídeos, filmes e noticiários) – está carregada de estereótipos e distorções acerca do lugar subalterno do negro na sociedade. A imagem estereotipada é veiculada sempre com um tom de naturalidade e cordialidade, isto é, sem qualquer estranhamento ou questionamento (Araújo, 2000).

O leitor já deve ter ouvido opiniões bem diferentes sobre a existência ou não do racismo no Brasil. Para alguns brasileiros, o racismo é reconhecido como fenômeno da desigualdade social, indicador da falta de oportunidade, por exemplo, no mercado de trabalho, na educação superior e no acesso à saúde. Outros não o admitem, não se preocupam com o fato e não se sentem responsáveis pela prática discriminatória, preferindo comentar a manifestação do preconceito ou discriminação quando a situação aconteceu com outra pessoa. Tal comportamento é tradicional e muito característico do século XX e merece ser estudado.

Em que situações o preconceito ou as práticas racistas se manifestam?

1. Quando o indivíduo profere um xingamento que manifesta hostilidade racial por meio de injúria, brincadeira ou piada.
2. Quando a pessoa evita ter contato com membros do grupo indesejado.
3. Quando a igualdade de tratamento é negada a uma pessoa ou grupo de pessoas por sua condição racial.
4. Quando uma instituição (escola, empresa etc.) não oferece serviço profissional adequado à pessoa em virtude de sua origem étnica.

A MANIFESTAÇÃO DO PRECONCEITO NO BRASIL

Ao longo dos séculos, os brasileiros se acostumaram a expressar juízo de valor estereotipado sobre a aparência e cultura do negro brasileiro. Quem não ouviu ou se referiu a uma situação desagradável com a expressão "a coisa tá preta"; o cabelo afro como "cabelo ruim"; "as únicas coisas de que os negros entendem são música e esporte", entre outras. São frases preconceituosas presentes na linguagem cotidiana da população.

Esse comportamento pode ser observado na pesquisa nacional de opinião pública realizada nos centros urbanos em 2003, que apontou uma taxa de manifestação do preconceito de 74%, percentual dos que concordaram com um ou mais juízo estereotipado sobre a população negra (Santos e Silva, 2005, p. 18).

O grande mérito da pesquisa foi mensurar o modo de ser preconceituoso que o brasileiro quer esconder atrás da ideia da inexistência do racismo e de uma suposta cordialidade.

Gustavo Venturi Junior (apud Santos e Silva, 2005) realizou uma análise comparativa entre a pesquisa de opinião pública realizada em 1995, ano do tricentenário da morte de Zumbi dos Palmares, e a pesquisa supracitada, realizada em 2003, para apreender a manifestação do preconceito dos brasileiros. Segundo ele,

> nos oito anos que separam as duas pesquisas, houve uma pequena queda do preconceito no país, porém, a taxa da não manifestação do preconceito dobrou nesse período (de 13% para 26%), como subiu a taxa de preconceito

leve (36 % para 50 %), caindo a do preconceito forte (de 4 % para 1 %) e do médio (de 47 % pra 23 %). (p. 19)

A RELAÇÃO RACIAL NO ESPAÇO PÚBLICO E PRIVADO

Negar o racismo e suas formas correlatas – o preconceito, a discriminação e a intolerância – no espaço público e considerá-lo na intimidade da vida privada é uma peculiaridade das relações raciais brasileiras.

A informalidade no tratamento da situação de desigualdade racial impede que sua veracidade seja apurada e, principalmente, que constatemos os efeitos prejudiciais à mobilidade social dos negros. O efeito mais perverso do racismo é inibir a participação social em todos os níveis da cidadania plena.

Como já dissemos, a mídia tem papel preponderante na cultura da negação do racismo e de suas formas correlatas. Vamos, então, tentar entender como a mídia distorce a compreensão dos fenômenos sociais ligados às relações raciais brasileiras.

Segundo Marilena Chaui (2006, p. 9),

> na mídia, as relações interpessoais e intersubjetivas aparecem com a função de ocultar ou de dissimular as relações sociais e as relações políticas enquanto políticas, uma vez que as relações sociais são determinadas pelas instituições sociais e políticas, são mediações referentes a interesses e a direitos regulados pelas instituições, pela divisão social das classes e pela separação entre o social e o poder político. Diferentemente, as relações pessoais

são imediatas e definidas pelo relacionamento direto entre pessoas, e por isso nelas os sentimentos, as emoções, as preferências e os gostos têm papel decisivo.

Assim, quando abordadas pela mídia, as relações sociais desiguais perdem seu caráter social e político, sua especificidade, e passam a operar sob a aparência da vida privada.

Os brasileiros estão acostumados apenas à dimensão subjetiva das relações raciais. Nas relações interpessoais dificilmente se chega a um consenso sobre as razões da rejeição, na medida em que os indivíduos têm juízos de valor que nem sempre são manifestados publicamente.

No plano da informalidade, o sentimento, a emoção, a "preferência" pela inegável participação cultural do negro na sociedade brasileira é expressa com frases do tipo: "Eu adoro feijoada"; "Eu até aprendi a jogar capoeira"; "Eu tenho um parente que só melhorou quando foi para a umbanda"; "A minha babá é negra e está conosco desde que a minha mãe era pequena". Trata-se de atitudes compensatórias para apagar o sentimento de rejeição. Esse comportamento ambíguo inibe o debate sobre os direitos sociais da população negra, entre eles o de não ser discriminada. É isso que se convencionou chamar de racismo cordial.

No espaço público, o relacionamento cordial esconde aspecto da tensão social, da iniquidade e do alto grau de violência psíquica provocada pela rejeição ao modo de ser do outro.

O fenômeno da ambiguidade ou dissimulação do racismo dificulta a percepção da desigualdade de oportunidades entre o negro e o branco. Segundo Santos e Silva (2005, p. 49), a prática discriminatória ou preconceituosa manifesta-se no trabalho, na educação, na saúde e na segurança pública, constituindo, assim um racismo institucional.

A IDENTIDADE CONSTRUÍDA

Imagine o que é construir a identidade em uma sociedade que discrimina. No Brasil, ser um jovem negro não é o mesmo que ser um jovem branco (Abramo e Branco, 2005, p. 29).

Sabemos que toda e qualquer identidade é construída socialmente. A identidade negra, por ser um produto social, é resultante de uma situação de conflito envolvendo discriminação, exclusão social, exploração e, por fim, a opressão individual ou coletiva.

Assim, o tema da identidade racial brasileira exige uma reflexão sobre a maneira como a transposição da identidade pessoal para a identidade coletiva se realiza.

> [...] O diálogo que estabelecemos com nós mesmos e com o mundo exterior funciona como um guia da nossa construção social, influindo na formação da nossa identidade pessoal e social [...] e determina também como os demais membros da sociedade nos enxergam e nos definem. (Silva, 2002, p. 55)

Essa interpretação inicial da identidade nos ajudará a compreender como se formou a identidade dos negros diante de uma sociedade que discrimina – e como eles reagiram a isso.

Estamos falando de reação no sentido de aceitar ou rejeitar sentimentos, normas, valores e legislações, elementos construtores da formação da identidade racial no Brasil. A hierarquia das raças e a subalternização do negro foi fruto de um processo histórico condicionante para que os negros internalizassem uma imagem desfavorável de si próprios. Porém, isso ocorreu somente em parte. Em sociedades que discriminam, os indivíduos marginalizados tendem a reagir e criar mudanças sociais capazes de trazer soluções positivas para os conflitos pessoais ou coletivos. Tal reação pode ser denominada comportamento de resistência ou sobrevivência.

O surgimento da política identitária normalmente evolui para a formação de comunidades. Estas são uma forma de resistência coletiva diante de uma opressão que seria insuportável individualmente (Castells, 1999, p. 25).

Em outras palavras, a identidade pode ser definida como algo interativo, dinâmico e marcado por relações de poder que permitem a criação de uma nova identidade capaz de redefinir sua posição na sociedade e decifrar ou discernir os elementos da opressão e vislumbrar caminhos para a transformação do contexto opressor. Esse caminho leva o indivíduo a compreender a si mesmo e ao contexto que lhe cerca – o que aumenta sua capacidade de reconhecer as situações de racismo, além de denunciá-las e combatê-las.

A atitude de reconhecer e denunciar tais circunstâncias respaldadas no direito civil para proteger a si mesmo e à comunidade da inferiorização étnica e da subalternização social é chamada de consciência negra.

Atualmente, a consciência negra é o chamamento número um do movimento de protesto negro, também denominado movimento negro brasileiro. Quem atende a esse chamamento se engaja pessoalmente e desenvolve uma consciência política antirracista por intermédio de música, teatro, cinema, atividades de pesquisa e docência, esportes, religiosidade ou ativismo político propriamente dito.

A (IN)VISIBILIDADE DO NEGRO NO QUESITO COR/RAÇA DO CENSO

Desde o início do período republicano, o Censo Demográfico Brasileiro sempre deixou muito a desejar quanto à classificação da população negra.

Nos recenseamentos de 1900 e 1920, o item raça/cor não foi coletado. Só apareceu nos censos de 1940 e 1950, "desaparecendo" novamente no censo de 1960. No censo de 1970, fase da ditadura militar, não houve análise da informação sobre cor/raça, prejudicando a pesquisa sobre a evolução da população negra. Em 1980, a coleta do item cor/raça e a análise sistemática dos dados propiciou melhora na qualidade do diagnóstico socioeconômico da população negra.

Desde o censo de 1940, as informações vêm sendo obtidas por autoclassificação, por intermédio das cinco categorias oficiais: branco, preto, pardo, indígena e amarelo.

A campanha pela reintrodução do item cor/raça no censo de 1980 recebeu forte apoio de demógrafos, intelectuais e organizações do movimento negro. Após esse censo, concluiu-se que a população parda havia aumentado e a população preta, diminuído. Porém, quando somadas, elas quase se equiparam à população branca. Esses dados ajudaram a apontar o Brasil com maioria populacional composta de negros.

O censo de 2000 concluiu que há 45,3% de pardos e pretos na população brasileira. Fora da África, o Brasil é o maior país de população negra do mundo.

Censo de 2000

População total: 170 milhões de habitantes
Brancos: 91,2 milhões (53,7%)
Pardos: 65,3 milhões (38,5%)
Pretos: 10,5 milhões (6,2%)
Amarelos: 761,5 mil (0,4%)
Indígenas: 734 mil (0,4%)

Distribuição da população preta e parda no território nacional
Região Norte: 6,1% de pretos e 12,6% de pardos
Região Nordeste: 34,9% de pretos e 42,4% de pardos
Região Sudeste: 45% de pretos e 32,7% de pardos
Região Sul: 9% de pretos e 4,4% de pardos
Região Centro-Oeste: 5,1% de pretos e 7,8% de pardos

Fonte: IBGE

A RELAÇÃO ENTRE RAÇA E CLASSE

A sociedade brasileira tem a base bastante larga e o ápice estreito. Do ponto de vista da formação da população, há, porém, uma característica ainda mais marcante: as camadas sociais vão embranquecendo à medida que sobem na pirâmide social. Por isso, quando se fala das pessoas que vivem na base da pirâmide social, logo se identifica a pobreza, e quando se fala em pobreza está-se falando principalmente da população negra e da discriminação racial.

Nos anos 1960, como veremos mais adiante, o sociólogo Florestan Fernandes concluiu que a mobilidade das classes sociais resolveria o problema do preconceito. Infelizmente, isso não aconteceu. Atualmente podemos avaliar o dilema colocado por Fernandes à luz de novos fatos e de um contexto social ainda mais excludente em razão da modernização tecnológica e globalização econômica.

Na formação do Estado brasileiro moderno, a exclusão social se deu desde o momento em que as elites privilegiaram a mão de obra imigrante em detrimento da mão de obra nacional. Assim, o desenvolvimento das relações capitalistas de produção, longe de eliminar as desigualdades sociorraciais, a recompôs na ótica da racionalidade da acumulação do capital.

É por isso que a relação entre raça e classe é o elemento explicativo das desigualdades raciais. Essa relação não é dicotômica, mas integrada, e caracteriza a exploração capitalista. Ela constitui a sutileza do racismo brasileiro, determina a exploração da força de trabalho e o grau de consciência racial do trabalhador negro.

Quando os trabalhadores negros e brancos estão no mesmo patamar de classe, a relação de compra e venda da força de trabalho é diferenciada e delineia a desigualdade social. Ela se realiza de forma diferente no nível da produção, podendo estar na admissão ao emprego, no desemprego, na divisão do trabalho e no preço da remuneração do trabalho desempenhado.

No mercado de trabalho, o racismo se manifesta na remuneração desigual entre brancos e negros, apesar de ambos serem igualmente produtivos ao capital. Isso significa que o valor do salário pago ao negro é menor do que se paga ao branco.

A remuneração inferior determina uma capacidade de consumo aquém daquela estabelecida para o trabalhador branco. Se o salário é o recurso para os meios de subsistência e define a capacidade de consumo do trabalhador, e, se o salário recebido pelo trabalhador negro é menor, encontramos aí boa explicação para a sua pobreza.

Nesse contexto, na relação raça/classe encontramos a resposta para a desigualdade social entre negros e brancos. Ela não pode ser interpretada e justificada apenas pela hierarquização das raças, ou, ao contrário, diluindo o fator racial na relação entre as classes. Esse pensamento dicotômico é apenas a aparência do problema. É interessante considerar a existência de duas condições sociais – discriminação racial e depreciação da renda salarial – para compreender a relação raça/classe.

A função do racismo é camuflar a desigualdade que combina a pobreza resultante da exploração de classe com a discriminação racial que subalternaliza e deprecia socialmente o salário do trabalhador negro. Essa ambiguidade contribui para aliená-lo como raça e classe.

Para não dizer que não falamos da emancipação feminina, sobretudo da situação da mulher negra e da relação de gênero e raça, cabe lembrar que o binômio *raça e classe* foi ampliado para *raça, classe e gênero*. Nos anos 1990, organizações feministas negras passaram a considerar o trinômio *machismo, racismo e pobreza* como forma específica da opressão da mulher negra.

• • •

Agora que conhecemos dados reais e concretos sobre os negros no Brasil, vamos adentrar a história para tentar explicar as origens da desigualdade econômica entre negros e brancos e as raízes da mentalidade racista.

2
A República Velha e as relações raciais brasileiras

No Brasil moderno, dois fatos importantes da história surgem na mesma conjuntura: a abolição da escravatura, em 1888, e a proclamação da República, em 1889. O Brasil foi o último país a abolir a escravatura, depois de Cuba (1886), Estados Unidos (1865), Equador (1821), Colômbia (1821), Venezuela (1821) e Haiti (1804). Esse cenário inaugurou o republicanismo e o trabalho livre assalariado.

O ideal do republicanismo brasileiro não emancipou a população negra – o que instiga o debate sobre que tipo de republicanismo é esse que não garantiu liberdade e igualdade entre os grupos étnicos da formação social brasileira.

O republicanismo ao gosto da elite nacional instituiu o direito civil mais formal do que real, sem considerar a resistência e o protesto do negro. Já foi dito que o povo assistiu "bestificado" à proclamação da República. Tal expressão é muito difundida nos livros didáticos e traz um alerta à falta de participação popular nos feitos históricos nacionais.[7]

Durante quase toda a Primeira República, a participação popular foi tratada como "caso de polícia", ou seja, toda mobilização por direitos que exprimia a insatisfação do povo não era percebida como de natureza econômica ou social, mas como insubordinação à ordem pública que deveria ser reprimida com a força policial.

Nesse período, a Revolta da Vacina (1904), a Revolta da Chibata (1910), a Guerra de Canudos (1896-1897) e a Guerra do Contestado (1912-1916) foram alguns dos conflitos tratados como caso de polícia.

A TEORIA RACISTA CHEGA AO BRASIL

Entre a segunda metade do século XIX e a década de 1930, a sociedade brasileira foi fortemente influenciada por teorias racistas importadas da Europa.

Segundo Maio e Santos (1996, p. 42),

> o pensamento racista afirmava a desigualdade das raças humanas partindo do pressuposto de que a cultura é biologicamente determinada [...] A ideia das raças foi respaldada, em parte, pela ciência, principalmente pela antropologia física, empenhada em classificar a humanidade em tipos naturais, arbitrando certas características

7. Aristides da Silveira, político, jornalista e abolicionista brasileiro, referindo-se à proclamação da República, escreveu a famosa frase: "O povo assistiu àquilo bestializado, atônito, surpreso, sem conhecer o que significava". Para mais informações, veja Carvalho, 1987.

fenotípicas por sua frequência em determinados grupos humanos [...] Abusaram da metáfora darwinista da "sobrevivência dos mais aptos" e inventaram a eugenia para sugerir políticas públicas que, entre outras coisas, implicavam limpeza étnica.

Uma rápida pesquisa bibliográfica mostrará ao leitor que personalidades ilustres como Nina Rodrigues (1862-1906) e Oliveira Vianna (1883-1951) divulgavam teorias racistas com base nos estudos da medicina ligados à antropologia física. Essa teoria condenava toda e qualquer ideia de miscigenação racial, temendo a degeneração do povo brasileiro em função de sua mestiçagem.

Em São Paulo, no ano de 1918, o médico paulista Renato Kehl fundou a Sociedade Eugênica de São Paulo. Os ideais da eugenia[8] eram defendidos por diversos intelectuais, médicos e cientistas, como o fundador da Faculdade de Medicina de São Paulo, Arnaldo Vieira de Carvalho, o psiquiatra Franco da Rocha, o educador Fernando de Azevedo e o escritor Monteiro Lobato (Souza, 2006).

No livro *Populações meridionais do Brasil*, publicado em 1920, Oliveira Vianna, contrário à mestiçagem, argumenta que "os nascidos do cruzamento com índio parecem, pelo

....

8. Ciência que estuda as condições mais propícias à reprodução e ao "melhoramento" genético da raça humana.

menos no físico, superiores aos mulatos, e que a distância entre o branco e o índio é menor que a entre o branco e o negro, os mulatos resultaram de uma raça servil" (p. 69).

Outro destaque é o livro clássico *Os sertões*, de Euclides da Cunha, publicado em 1902. O grande escritor brasileiro foi atraído pela eugenia e, paradoxalmente, saiu em defesa do sertanejo, uma mistura entre o branco e o indígena, rejeitando a mistura entre o branco e o negro. Esse aspecto da obra de Euclides foi bastante criticado por intelectuais contemporâneos como Torres (1982) e Moura (1990).

Os intelectuais brasileiros da época também foram fortemente influenciados pelo chamado "darwinismo social", que, entre outras coisas, afirmava que os brancos - por sua pureza, superioridade e civilidade - eram resultado da seleção natural das raças humanas. Negros e indígenas, ao contrário, desapareceriam no futuro mediante a seleção natural e social. A mestiçagem ou miscigenação seria um sinal de progresso humano se houvesse o branqueamento da população.

A REVOLTA DA CHIBATA (1910)

A Revolta da Chibata, ocorrida em 1910 no Rio de Janeiro, não foi uma exceção à regra que tratava reivindicações populares como caso de polícia. Exemplo dos paradoxos da fase republicana, de um lado revelou o tratamento repressivo e discriminatório da elite e do governo diante do protesto negro. De outro, representou a luta pela ampliação da cidadania e a garantia de direitos na Marinha brasileira.

A Revolta da Chibata foi um movimento de protesto contra a aplicação de castigos físicos como código de conduta disciplinar na Marinha. Também reivindicava melhores soldos e alimentação de qualidade. A rebelião aconteceu em 22 de novembro de 1910 nos navios ancorados na Baía da Guanabara, no Rio de Janeiro, data das festividades comemorativas da posse do presidente militar Hermes da Fonseca.

O uso das chibatas era uma tradição herdada da Marinha portuguesa e foi abolido pelo Decreto n. 3, de 16 de novembro de 1889, mas, na prática, continuava a vigorar. O açoite brutal de um marujo (250 chibatadas) foi o estopim da revolta.

O líder da rebelião foi João Cândido Felisberto, marinheiro gaúcho nascido em 24 de junho de 1880 na cidade de Rio Pardo, no Rio Grande do Sul. Filho de ex-escravos, ingressou na Marinha pela escola de aprendizes aos 10 anos. Em 1909 era marinheiro de primeira classe e transitava bem tanto entre os oficiais de alta patente como entre a marujada.

João Cândido, líder da Revolta da Chibata

Fonte: Almanaque histórico João Cândido – A luta pelos direitos humanos (Fundação Banco do Brasil/ Petrobras/Acan).

Durante a insurreição, os oficiais de alta patente foram expulsos e os marinheiros assumiram o controle do navio e exigiram, entre outras coisas, o fim das chibatadas sob ameaça de bombardear a cidade do Rio de Janeiro. Veja a seguir o manifesto dos marinheiros dirigido a Hermes da Fonseca (foi mantida a grafia original):

Rio de Janeiro, 22 de Novembro de 1910.

Illo. Exo. Sr. Prezidente da Republica Brazileira

Cumpre-nos, comunicar a V. Exa. como chefe da Nação Brazileira:

Nós Marinheiros, cidadãos brazileiros e republicanos; não podendo mais suportar a escravidão na Marinha Brazileira, a falta de protecção que a patria nos dá; e até então não nos chegou; rompemos o negro véo, que nos cobria aos olhos do patriotico e enganado povo.

Achando-se todos os navios em nosso poder, tendo ao seu bordo prezioneiros todos os officiaes os quaes teem sido os cauzadores da Marinha Brazileira não ser grandioza, porque durante vinte annos de Republica ainda não foi bastante para tratarnos como cidadãos fardados em defesa da patria, mandamos esta honrada mensagem para que V. Exa. faça nós Marinheiros Brazileiros possuirmos os direitos sagrados que as leis da Republica nos faculta, acabando com as desordens, e nos dando outros gosos que venham engrandecer a Marinha Brazileira; bem assim como: retirar os officiaes incompetentes e indignos de servirem a Nação Brazileira; reformar o Codigo imoral e vergonhoso, que nos regem, affim de que desapareça a chibata, o bollo e outros castigos similhantes; aumentar o nosso soldo pelos ultimos planos do Illustre Senador, José Carlos de Carvalho, educcar os Marinheiros que não teem competencia para vestirem a orgulhoza farda; mandar por em vigor a tabella de serviço diario que a acompanha.

Tem V. Exa. o prazo de doze (12) horas para mandar-nos a resposta satisfactoria, sob pena de ver a patria aniquilada.

Bordo do Encouraçado "S. Paulo", em 22 de Novembro de 1910.

Nota – não póderar ser interrompida a ida e volta do mensageiro.

Marinheiros.[9]

Não houve reação bélica à revolta. Após três dias de intensos debates, o Congresso votou uma proposta de anistia, mas ela não chegou a ser assinada pelo presidente da República, embora anunciada pelo ministro da Marinha. Com essa artimanha, chegou-se ao fim da revolta. O acordo de anistia não foi cumprido e os marinheiros foram expulsos da Marinha e presos. O presidente Hermes da Fonseca e o congresso negaram aos marinheiros direitos políticos.

Dos setenta marinheiros amotinados apenas dez foram presos e enviados à Ilha das Cobras[10]. Destes, apenas os líderes João Cândido, Francisco Dias Martins e Manuel Gregório do Nascimento foram a julgamento diante do Conselho de Guerra, no ano de 1912. A Irmandade da Igreja Nossa

....

9. Para ter acesso ao documento original, visite http://www.projetomemoria.art.br/JoaoCandido/downloads/down_livro_joao_candido.pdf, p. 54-55.

10. Ilha localizada no interior da Baía da Guanabara. Atualmente, abriga diversos departamentos da Marinha.

Senhora do Rosário contratou advogados e todos foram absolvidos. Mas em 30 de dezembro de 1912 João Cândido foi expulso da Marinha. Com suas últimas economias, comprou um barco de pesca e passou a vender peixes na Praça XV. Morreu em 1969, sem patente e na miséria.[11]

A anistia póstuma a João Cândido Felisberto foi sancionada 98 anos após a Revolta da Chibata, em 2008. Sua patente de almirante foi reconhecida e ele passou a reintegrar os quadros da Marinha. Na Praça XV, centro do Rio e palco da revolta, foi erguido uma estátua em homenagem a João Cândido, o "Almirante Negro". A imagem, criada pelo artista plástico Walter Brito, retrata João Cândido segurando o leme em uma das mãos e apontando para o mar com a outra.

O IDEAL DE EMBRANQUECIMENTO

O ideal do embranquecimento da população brasileira surgiu entre o final do século XIX e o início do século XX.

À época, as relações raciais entre negros e brancos não eram bem-vistas por três motivos: 1) o senso comum julgava que negros e mestiços eram inferiores, sobretudo devido ao subdesenvolvimento do continente africano; 2) houve diversas rebeliões e revoltas negras na América, o que provocava a desconfiança das autoridades e da sociedade; 3) o ideal de branqueamento, à luz das doutrinas racistas, também fora influenciado pelas ideias eugênicas de melhoria da raça humana, aliadas ao pensamento sanitarista de controle das

....

11. Para mais informações, consulte Passos, 2008. A obra traz uma história detalhada da Revolta da Chibata e constitui fonte bibliográfica importante.

epidemias públicas. Na época, por conta do saneamento básico precário, alastraram-se epidemias de febre amarela, varíola e tuberculose, entre outras. As campanhas higienistas ou sanitaristas para conter tais epidemias eram tratadas como um problema de ordem moral: acreditava-se que a população pobre e mestiça era mais propensa às doenças devido a seus costumes e hábitos pouco higiênicos.

A MESTIÇAGEM: UM DILEMA NACIONAL

No Brasil, a palavra "miscigenação" é sinônimo de mestiçagem, mistura de raças – o português, o índio e o negro. Essa foi a base da formação racial brasileira.

A miscigenação ocorreu mais intensamente com as relações entre o homem português e a mulher indígena e negra – muitas vezes de forma violenta. Assim, surgiram os mamelucos ou caboclos (mistura do branco com o indígena) e os mulatos (mistura do branco com o negro).[12]

Fazendo um retrospecto histórico, podemos dizer que o colonialismo, dominado pelo sistema patriarcal, intensificou a mestiçagem da população brasileira. Os proprietários rurais utilizavam seu poder para cometer abuso sexual e todo tipo de violência contra a mulher negra e indígena.

A música popular brasileira dos anos 1930, a exemplo de "O teu cabelo não nega", retratava o assédio sexual contra a mulher negra, antes denominada "mulata nacional".

12. Para saber mais sobre a ideia de raça e mestiçagem, consulte os seguintes autores: DaMatta, 1981; Munanga, 1999; Seyferth, 1991; Skidmore, 1976.

As palavras denotam múltiplos sentidos e às vezes guardam estereótipos e péssimas intenções no plano das relações raciais brasileiras. A língua portuguesa recolheu da cultura colonial palavras com tom bastante pejorativo ou jocoso à mulher negra e a sua origem africana. Até hoje encontramos expressões como "a mulata é a tal", "negro de alma branca" e "melhorar a raça" (ou seja, promover o embranquecimento dos descendentes originários da mistura do branco e do negro).

O PROJETO DE IMIGRAÇÃO DA ELITE BRASILEIRA

No Brasil, a imigração promovida após a abolição foi estimulada pelo ideal de branqueamento da população brasileira. Esse ideal tornou-se o centro do projeto imigratório das elites entre os anos de 1880 e 1920.

Nos quase quatrocentos anos da escravidão no Brasil, calcula-se que recebemos uma população africana de seis a dez milhões de pessoas. A inexatidão dos números deve-se ao grande contrabando de negros, que põe em dúvida as estatísticas oficiais (Moura, 2005, p. 434).

Quanto aos índios, calcula-se que à época do descobrimento havia mais de mil povos indígenas, totalizando uma população de dois a seis milhões de indígenas. Hoje em dia, são apenas 227 povos, e sua população está em torno de 300 mil.

A política imigratória europeia mais intensa ocorreu com os países de origem latina, sobretudo a Itália, além de Espanha e Portugal, porque as elites brasileiras entendiam que havia uma proximidade linguística e cultural. A origem latina da população europeia viabilizaria o caráter de assimilação cultural e mistura das três raças, e assim aqueles países contribuiriam para a formação da nacionalidade brasileira. Estima-se que chegaram ao Brasil mais de dois milhões de imigrantes entre 1890 e 1930.[13]

No intenso processo de miscigenação, a preocupação maior era o branqueamento populacional de origem africana, fator preponderante a ser enfrentado na construção de nacionalidade brasileira.

A esperança de modernizar o Brasil desde o final do Império encontrou alento na imigração europeia, que no imaginário da elite cafeeira significava "civilização", uma vez que tal elite responsabilizava a escravidão e a grande propriedade pelo atraso econômico do Brasil.

O sentido da modernização, aos olhos da elite, era dado por dois aspectos. Primeiro, os europeus eram considerados mais aptos para o trabalho livre. Segundo, acreditava-se que os imigrantes europeus estavam habituados à agricultura de pequena propriedade para a produção de alimentos.

O LUGAR DO TRABALHADOR NACIONAL

Nesse contexto, os trabalhadores nacionais, principalmente, mestiços, negros, indígenas e caboclos foram relegados à própria sorte, porque eram supostamente incapazes de se acostumar ao trabalho livre e assalariado.

Somam-se a esse imaginário preconceituoso as restrições da Lei de Terras – que, ao fazer exigências como certidão de

13. Para mais informações, consulte Carneiro (1950) e Fausto (1997).

casamento e carta de recomendação, impedia os trabalhadores de ter a posse da terra.

Já os imigrantes europeus, ao contrário, tinham vários benefícios:

> [...]
> Art. 17. Os estrangeiros que comprarem terras, e nelas se estabelecerem, ou vierem à sua custa exercer qualquer indústria no país, serão naturalizados. Querendo, depois de dois anos de residência pela forma por que o foram os da colônia do S. Leopoldo, e ficarão isentos do serviço militar, menos do da Guarda Nacional dentro do município.
>
> Art. 18. O Governo fica autorizado a mandar vir anualmente à custa do Tesouro certo número de colonos livres para serem empregados, pelo tempo que for marcado, em estabelecimentos agrícolas, ou nos trabalhos dirigidos pela Administração pública, ou na formação de colônias nos lugares em que estas mais convierem; tomando antecipadamente as medidas necessárias para que tais colonos achem emprego logo que desembarcarem. Aos colonos assim importados são aplicáveis as disposições do artigo antecedente.[14]

Via de regra, o tipo de emprego oferecido aos brasileiros era "trabalho pesado", como abrir picadas para construção da rede ferroviária para escoar a produção cafeeira.

....

14. Fontes: Moura (1994, p. 69) e Jacino (2008, p. 51).

Nas cidades, as mulheres negras passaram a executar serviços domésticos, trabalhando como cozinheiras, empregadas domésticas, lavadeiras e babás, entre outras tarefas.

O lugar subalterno dos negros na República Velha se deu por dois motivos principais.

Primeiro, o modelo de desenvolvimento agroexportador implantado após a abolição da escravatura pouco a pouco acelerou a urbanização, a industrialização e a incorporação do trabalho assalariado; todavia, os negros foram integrados subalternamente na estrutura de classe trabalhadora brasileira.

Segundo, aqueles que estudam a tradição republicana liberal concordam que o liberalismo inicial no Brasil era do tipo "fora do lugar": quando muito, garantia os direitos civis às elites e à classe média urbana embranquecida com o processo de miscigenação e com a política imigratória.

O liberalismo clássico dos direitos individuais, em boa medida, aqui não se aplicou aos trabalhadores, pobres, indígenas e negros, que continuaram sem direitos básicos.[15] A estes foram destinados os territórios urbanos demarcados pela segregação espacial, econômica e cultural: cortiços, favelas, terreiros de roda de samba e de candomblé, irmanda-

....

15. O liberalismo político surgiu na Europa, nos séculos XVIII e XIX, com base nos escritos de John Locke, Montesquieu, Rousseau e Adam Smith. Essa corrente defende que o Estado garanta a liberdade e a igualdade de todos perante a lei por meio dos direitos individuais: liberdade de locomoção, de reunião, de culto religioso, de pensamento ou opinião, de não ser preso ilegalmente, de escolher o governo, de votar, de ser eleito etc. Segundo Bobbio, Matteucci e Pasquino (1995, p. 686), há muitas definições históricas para a ideologia do liberalismo.

des religiosas, serviços gerais e ocupações auxiliares, autodidatismo e falta de educação formal.

A expressão "lugar de negro" até hoje é uma metáfora para a posição subalterna no mercado de trabalho e para o baixo status social. Parafraseando o sociólogo Guerreiro Ramos, o historiador Joel Rufino Santos (1996, p. 220) explica que, embora não haja raças, existem relações raciais que identificam o negro como lugar: "o fenótipo (crioulo), a condição social (pobre), o patrimônio cultural (popular), a origem histórica (ascendência africana) e a identidade (autodefinida e definida pelo outro)".

Assim, aceitamos os pressupostos da genética que comprovam a inexistência das raças do ponto de vista biológico, mas sabemos que a categoria "raça" foi construída socialmente, ou seja, as relações sociais brasileiras foram racializadas, principalmente pelas doutrinas racistas do século XIX.

Isso posto, cabe avisar ao leitor que, devido a essa imprecisão, o termo "raça" pode ser subtituído pela palavra "etnia", que define melhor as diferenças entre a população. Segundo Munanga (1990, p. 52),

> uma etnia é um conjunto de indivíduos possuindo em comum uma língua, uma cultura, uma história, um território e não necessariamente uma unidade politica. Seus membros desenvolvem preconceitos culturais quando manifestam tendências de valorizar sua visão do mundo e de menosprezar a das outras etnias [...].

3
A Era Vargas e o mito da democracia racial

No período em que se configurou a Era Vargas (1930-1945), o Brasil começava a entrar no capitalismo periférico e enfrentava a questão da identidade nacional. Afinal, quem eram os brasileiros? Esse tema passou a ser amplamente debatido por políticos, escritores e intelectuais.

As noções relativas a nação e "raça" não poderiam ficar de fora. A partir da década de 1930, abandona-se o imaginário das teorias racistas, que não se adequavam ao novo cenário brasileiro, e passa-se a discutir as inter-relações entre nação e cultura.

O MITO FUNDADOR DA NAÇÃO BRASILEIRA

A nação se forma com base em alguns elementos importantes, entre eles a língua e a etnicidade. Nas palavras de Hobsbawm (1991, p. 26), a etnicidade é um sentimento de pertencimento a um grupo étnico baseado na crença da origem comum e no reconhecimento de uma mesma experiência histórica.

Aos poucos, o nacionalismo étnico foi substituído pelo nacionalismo cultural. Passaram a vigorar então as ideias românticas do indígena como o "bom selvagem", do negro como "servil" e do branco "cordial".

Assim, o Brasil moderno - nascido da abolição da escravatura (1888), da proclamação da República (1889), da imigração europeia (1820-1910) e da Revolução de 1930 - inaugurou nova forma de relações raciais e um projeto de nação à imagem e semelhança das nações europeias, sob forte influência do etnocentrismo europeu.

Etnocentrismo *versus* racismo

O etnocentrismo é caracterizado pela tendência a considerar sua própria cultura como padrão civilizatório de todas as demais. O antropólogo Kabengele Munanga (1990, p. 53) faz uma comparação curiosa entre etnocentrismo e racismo. Segundo ele, esses termos não deveriam ser confundidos, pois se o etnocentrismo é universal, o racismo, ao contrário, só aparece em certas circunstâncias historicamente determinadas. O racismo é uma ideologia e um instrumento de dominação, produto da civilização ocidental, remontando ao século XVIII. Já o etnocentrismo presente em todas as sociedades seria baseado na recusa das diferenças e no sentimento de desconfiança em relação ao alheio, limitando-se a evitá-lo. Nesse sentido o etnocentrismo carrega as condições necessárias para o nascimento do racismo.

O MITO DA DEMOCRACIA RACIAL E AS IDEIAS DE GILBERTO FREYRE

Gilberto Freyre, sociólogo ilustre, ficou conhecido na história do Brasil principalmente por seus estudos dedicados às relações raciais brasileiras. Seus livros clássicos são *Casa-grande & senzala* (1933) e *Sobrados e mocambos* (1936).

Nessas obras, Freyre narra a decadência da oligarquia agrária e escravista nordestina do século XVII e sua adaptação aos tempos mais modernos. Aborda ainda o dilema dessa elite acostumada a viver na casa-grande às voltas com o relacionamento servil da população mestiça negra-indígena da senzala.

No contexto da urbanização, a arquitetura colonial da casa-grande cedeu lugar aos sobrados modernos e à falta de planejamento de políticas públicas nas cidades brasileiras, determinando o novo lugar da população pobre, em sua maioria mestiça e negra: as favelas, antes denominadas malocas ou mocambos.

A maior contribuição de Gilberto Freyre foi inverter o valor social da mestiçagem, antes referida como um processo degenerativo do tipo nacional. Em seus estudos, ele enfatiza que os negros e os indígenas fizeram contribuições positivas à cultura brasileira e influenciaram profundamente o modo de vida da nossa sociedade.

Freyre sublinhou um efeito positivo da miscigenação advinda do relacionamento entre o senhor branco e a mulher negra e indígena: a aproximação entre brancos e não brancos, dois grupos sociais antes separados. A miscigenação das raças trouxe a mistura das heranças culturais.

A miscigenação cultural das três raças abriu caminho para a concepção do mito da democracia racial, cujos aspectos mais importantes são: o ideal de embranquecimento, a harmonia ou a ausência de conflito racial e, principalmente, de qualquer protesto aberto contra o lugar que o negro ocupava na sociedade brasileira.

O pressuposto ideológico dessa concepção era o de que a relação racial brasileira ocorreu sem conflito, fato esse que estimulou a assimilação e a troca cultural. Disso depreendia-se que a miscigenação era algo desejável por todos os brasileiros.

Quadro "Redenção de Cã" (1895), de Modesto Brocos. A cena mostra a avó negra, a mãe mulata e pai e filho brancos, reproduzindo o ideal de embranquecimento do início do século XX.

Coleção Museu Nacional de Belas Artes Ibram/MinC. Fotógrafo: Vicente de Mello

No entanto, por trás do mito da democracia racial escondiam-se a contestação da ordem racial vigente e a reivindicação por direitos iguais. Intelectuais a serviço das elites nacionais popularizaram crenças e simbologias da harmonia entre as classes sociais, sobretudo as de caráter racial, acentuando o seu caráter mítico.

É mito porque é uma representação simbólica construída por estudiosos, intelectuais e políticos e não encontra representação na realidade.

Segundo o sociólogo Florestan Fernandes, o núcleo do mito da democracia racial é a introjeção do sentimento de rejeição à aparência (os fenótipos) do tipo africano, desvalorizando seus elementos culturais ao mesmo tempo que valoriza o fenótipo branco e o padrão cultural europeu e cristão.

Então, qual é a função política do mito da democracia racial? Subalternizar a população negra, na medida em que inferioriza e fragmenta a identidade étnico-racial e impede os protestos por direitos e mobilidade social ascendente.

O PROTESTO NEGRO NA ERA VARGAS

No início do século XX, encontramos no cotidiano dos centros urbanos vários elementos legitimadores do protesto negro.

Naquela época, o pensamento, os sentimentos e o modo de vida da população negra paulista – a exemplo do que ocorria em outras regiões brasileiras – podem ser revisitados com a leitura da imprensa negra, prova incontestável da exclusão educacional e letrada superada parcialmente pelo autodidatismo das lideranças dedicadas à imprensa alternativa (Leite e Silva, 1992, p. 23).

Segundo Leite (1992, p. 37), o primeiro jornal da imprensa negra da época, o *Jornal Menelick*[16], surgiu em 1916. Seu título homenageava a linhagem imperial do povo etíope, celebrada até hoje no culto rastafári a Hailé Selassié[17]. O discurso de Selassié proferido na Liga das Nações, em 1936, contra o uso de armas químicas, é até hoje tido como um marco dos movimentos de resistência:

> Enquanto a filosofia que declara uma raça superior e outra inferior não for finalmente e permanentemente desacreditada e abandonada; enquanto não deixarem de existir cidadãos de primeira e segunda categoria de qualquer nação; enquanto a cor da pele de uma pessoa não for mais importante que a cor dos seus olhos; enquanto não forem garantidos a todos por igual os direitos humanos básicos, sem olhar as raças, até esse dia, os sonhos de paz duradoura, cidadania mundial e governo de uma moral internacional irão continuar a ser uma ilusão fugaz, a ser perseguida mas nunca alcançada. E, igualmente, enquanto os regimes infelizes e ignóbeis que suprimem os nossos irmãos, em condições sub-humanas, em Angola, Moçambique e na África do Sul não forem superados e destruídos, enquanto o fanatismo, os

....

16. Menelik foi o primeiro Imperador da Etiópia. Suposto filho do rei Salomão e da Rainha de Sabá, era chamado de "Rei dos Reis da Etiópia".
17. O etíope Hailé Selassié (1892-1975) fundou, em 1963, a Organização da Unidade Africana (OUA), composta por mais de trinta países. Para o movimento rastafári, é o símbolo religioso do Deus encarnado.

> preconceitos, a malícia e os interesses desumanos não forem substituídos pela compreensão, tolerância e boa vontade, enquanto todos os africanos não se levantarem e falarem como seres livres, iguais aos olhos de todos os homens como são no céu, até esse dia, o continente africano não conhecerá a paz. Nós, africanos, iremos lutar, se necessário, e sabemos que iremos vencer, pois somos confiantes na vitória do bem sobre o mal... (White, 1999, p. 54-60)

A imprensa negra expandiu-se nos centros urbanos dos anos 1920 e 1930 para dar voz à raça, conforme vocabulário próprio da época.

Em 1931 surgiu a Frente Negra Brasileira, associação de caráter socioeducacional e político que reivindicava um novo padrão de cidadania para os negros brasileiros, reunindo mais de 20 mil associados em todo o Brasil.

Foi a mais importante organização negra da primeira metade do século XX. Quando se transformou em partido político, em 1936, foi fechada no ano seguinte pelo Estado Novo[18].

Segundo Moura (1983, p. 156),

> a Frente Negra Brasileira era fundamentalmente calcada nos valores vigentes de ascensão social, acreditando que o negro venceria à medida que conseguisse firmar-se nos diversos níveis das ciências, das artes e da literatura.

....

18. O Estado Novo foi o período da ditadura de Getulio Vargas (1937-1945), instaurada para manter o poder e as instituições de forma autoritária, sem garantia das liberdades civis.

Cabia também à Frente Negra orientar seus membros, pois o negro, segundo seus dirigentes, desde a abolição vinha se ressentindo de "melhores noções de instrução e educação".

Até o surgimento da Frente Negra, a sociedade brasileira não havia tomado conhecimento de nenhum outro fato político e social tão relevante para as relações raciais brasileiras. No entanto, essa movimentação social em busca de cidadania suscitou muita preocupação com a situação racial de conflito aberto, a exemplo do que ocorria nos Estados Unidos.

Para termos uma ideia da preocupação das elites, basta lembrar que a celebração dos cinquenta anos da Abolição da Escravatura contou apenas com atividades culturais, festivas e dançantes; as manifestações de cunho político foram totalmente proibidas.

O APAGAMENTO DA MEMÓRIA E DA HISTÓRIA

No Brasil, o mito da democracia racial distorceu a compreensão de alguns processos históricos relativos às relações raciais brasileiras.

O apagamento de alguns fatos históricos da memória e da história foi uma das consequências desse mito. Alguns livros didáticos, por exemplo, até hoje divulgam a ideia de que a escravidão era comum no continente africano e, por isso, os negros se adaptaram ao trabalho forçado no Brasil.

Outra distorção histórica é a suposta benevolência da escravidão no Brasil comparada com o controle e a fiscalização do trabalho forçado norte-americano. Mais alguns exemplos dessa falta de memória: a invisibilidade da resistência quilombola ao sistema colonial escravista e o apagamento da memória coletiva da saga de Zumbi dos Palmares – hoje resgatado como herói nacional e celebrado com feriado em vários municípios brasileiros; o desprezo pela descendência de origem africana dos líderes de diversas revoltas e rebeliões brasileiras e de personalidades de prestígio, como o escritor Machado de Assis, a maestrina Chiquinha Gonzaga, os irmãos engenheiros André e Antônio Rebouças, o escritor Mário de Andrade, entre tantos outros.

O pintor Cândido Portinari retratou as principais características dos trabalhadores nas diferentes fases da economia brasileira. A pessoa retratada geralmente tem mãos e pés agigantados, para reforçar sua imobilidade no mundo do trabalho. Ou então há ausência de detalhes na figura, que não são individualizadas. Portinari também retratou a cultura nacional, como o samba.

O fato é que, a partir dos anos 1930, a identidade nacional dos brasileiros reconheceu a contribuição cultural do negro e do indígena, sobretudo o universo simbólico de alguns elementos definidores da nacionalidade brasileira, tais como a feijoada, o samba e o futebol. Porém, a cultura negra não rompeu seus vínculos com o universo popular brasileiro. Quem não conseguiu furar o cerco – a exemplo de Machado de Assis (1839-1908) e Mario de Andrade (1893-1945) – e ganhar expressão na sociedade brasileira valendo-se da erudição cultural teve sua identidade negra apagada, padecendo no quase anonimato, como o escritor Lima Barreto (1881-1922) e o poeta Cruz e Sousa (1861-1898).

Fotos de Machado de Assis, Cruz e Sousa e Lima Barreto.

• • •

Como vimos, o abandono do imaginário das teorias racistas foi importante, mas restava outro dilema: passar do plano da integração simbólica para uma integração de fato.

4
Democratizando as relações raciais no pós-guerra

A democratização do Brasil Republicano (1945 a 1964) se inicia com o fim da ditadura varguista. Respirando os ares da liberdade, os governantes e as organizações negras voltam-se para as relações raciais brasileiras, mas não chegam a um consenso.

O PROTESTO NEGRO DOS ANOS 1940 E A LEI AFONSO ARINOS

O maior expoente negro dessa época foi Abdias Nascimento. Ativista antirracismo desde a juventude, dedicou-se à poesia, à dramaturgia, aos ensaios sociológicos, à vida parlamentar e às artes plásticas, fazendo uma ponte entre o Brasil a cultura pan-africanista[19].

....

19. O pan-africanismo surgiu no final do século XIX e reúne o conjunto de reivindicações, sobretudo as originárias dos negros norte-americanos e caribenhos. Entre 1919 e 1927 realizaram-se quatro congressos pan-africanistas e definiram-se a unidade de ação de toda a diáspora africana pela igualdade étnico-racial e a luta contra o colonialismo.

Nos anos 1930, Abdias engaja-se na Frente Negra Brasileira. Em 1938, no clima da repressão política do Estado Novo, organiza o I Congresso Afro-brasileiro, em Campinas, por ocasião das comemorações dos cinquenta anos da abolição.

Em 1940, fundou o Teatro Experimental do Negro (TEN), que tinha dois objetivos: valorizar a expressão artística e cultural herdada da África e fazer forte uma intervenção política na educação informal antirracista. Segundo Elisa Larkin Nascimento (2006, p. 33), a dramaturgia de Abdias Nascimento:

> ambicionava estimular o potencial cênico dos atores e atrizes negros, assim como dos heróis e epopeias afro-brasileiras, até então excluídos da dramaturgia nacional [...] onde a norma era brochar de preto o ator branco quando houvesse um personagem negro.

Com o fim do Estado Novo e a preparação para a Assembleia Nacional Constituinte de 1946, aumentou a efervescência política e cultural entre as organizações negras do Rio de Janeiro e de São Paulo. Cada estado fez a sua convenção estadual sob a liderança de Abdias Nascimento.

A Convenção Nacional do Negro, realizada em São Paulo em novembro de 1945, foi um marco do ressurgimento das manifestações políticas das organizações negras, na medida em que lançou à Constituinte uma plataforma de ação contra o racismo.

Entre outras coisas, o "Manifesto à Nação Brasileira" exigia que a nova Carta Magna explicitasse a origem étnica do povo brasileiro, definisse o racismo como crime de lesa-pátria e punisse sua prática (Nascimento, 2006, p. 38).

Porém, apesar de toda a pressão do movimento negro, a proposta foi rejeitada. É interessante lembrar que, nesse período, Gilberto Freyre era deputado constituinte e esteve ao lado dos conservadores da União Democrática Nacional (UDN).

Em 1950, data da celebração do centenário da Lei Eusébio de Queirós[20], o Rio de Janeiro foi palco do I Congresso do Negro Brasileiro. A deliberação final do Congresso exigiu, mais uma vez, uma legislação antirracista e deu apoio a um projeto de pesquisa da Unesco (veja o próximo tópico) que contava com a participação dos intelectuais Guerreiro Ramos, Abdias Nascimento e Edison Carneiro (Silva, 2003).

Diante dos protestos e pressões, o deputado conservador Afonso Arinos (UDN-MG) apresentou um Projeto de Lei antirracista que foi aprovado sob a Lei n. 1.390, de 3 de julho de 1951. Conhecida como Lei Afonso Arinos, foi a primeira do gênero no Brasil e incluiu o preconceito entre as contravenções penais.

Porém, não era suficiente. A lei não conseguiu, de fato e de direito, coibir o preconceito e a discriminação racial – fato alcançado somente com a Constituição de 1988, que criminalizou o racismo com base na Lei Federal n. 7.716, conhecida como Lei Caó, promulgada pelo governo Sarney em janeiro de 1989.

....

20. Em 1850 foi aprovada a Lei Eusébio de Queirós, que proibiu no Brasil o tráfico de africanos contrabandeados para o trabalho forçado.

A UNESCO INVESTIGA AS RELAÇÕES RACIAIS BRASILEIRAS

Nas décadas de 1940 e 1950, o Brasil estabeleceu um rico intercâmbio científico e cultural com os Estados Unidos e a França, o que modificou a percepção acadêmica sobre a dinâmica das relações raciais brasileiras.

Nos anos 1950, por força da democratização e do desenvolvimentismo, emergem os setores médios da sociedade brasileira e salta aos olhos a imobilidade social dos negros. Diante dessa realidade, as investigações sociológicas põem à prova a veracidade do mito da democracia racial.

Desde seu lançamento, *Casa-grande & senzala* recebeu críticas, tendo sido refutada por estudiosos brasileiros e norte-americanos que se debruçavam sobre o estudo das relações raciais brasileiras.

Ao mesmo tempo, a Organização das Nações Unidas para a Educação, Ciência e Cultura (Unesco), preocupada em refutar as teorias racistas em expansão no período pós-Segunda Guerra Mundial, saiu em busca de um novo modelo de relação racial capaz de se impor à segregação racial norte-americana.

Assim, entre 1952 e 1955 a Unesco planejou dois grandes projetos de pesquisa para conferir o padrão de relacionamento entre negros e brancos no Brasil. Um na cidade de Salvador (BA), sob a coordenação Thales de Azevedo, antropólogo baiano da Faculdade de Filosofia da Universidade da Bahia, e outro em São Paulo (SP) sob a responsabilidade de Florestan Fernandes e Roger Bastide.

AS IDEIAS DE ORACY NOGUEIRA

Oracy Nogueira também fez parte do grupo de pesquisadores paulistas e do projeto da Unesco. Formado pela Escola Livre de Sociologia Política de São Paulo, sob influência da sociologia norte-americana, realizou um estudo comparativo entre as relações raciais no Brasil e nos Estados Unidos e criou o conceito de *preconceito de marca* para compreender a dinâmica do racismo brasileiro, em contraste com o *preconceito de origem* que caracterizaria o racismo norte-americano.

Em outras palavras, enquanto nos Estados Unidos uma pessoa é branca ou negra e definida pelo nascimento, no Brasil há uma variação fenotípica muito grande para classificar as pessoas e a marca da cor da pele (preto, crioulo, negro, pardo, moreno, amarelo, indígena e branco) – variação essa mais importante que a origem de nascimento.

No modelo clássico de miscigenação, os descendentes de um casamento inter-racial (homem negro e mulher branca) após duas ou três gerações serão classificados como brancos. Nos Estados Unidos isso não ocorre: a ascendência é observada até a oitava geração.

O estudo de Oracy Nogueira (1954) tem reflexo no imaginário popular na medida em que fundamentou a diferenciação dos indivíduos pela cor da pele. Os indivíduos passaram a ser classificados por sua aparência e suas características fenotípicas (cor da pele, cor dos olhos, tipo de cabelo, formatos dos lábios e nariz, porte físico e outros). Ao abandonar a relação entre raça e cultura, seu estudo deslocou a análise para a relação entre cor e mobilidade social. Sua observação da mobilidade entre negros e brancos em São

Paulo concluiu que na sociedade moderna os preconceitos de marca e de classe conviviam plenamente.

AS IDEIAS DE FLORESTAN FERNANDES

O livro *Negros e brancos em São Paulo* (1955) publicou os resultados finais do projeto de pesquisa da Unesco coordenado por Florestan Fernandes e Roger Bastide.

O estudo procurava respostas a duas grandes perguntas: 1) Qual é o comportamento das classes sociais diante do preconceito racial? 2) Como ocorrera a integração do negro na sociedade de classes diante do desenvolvimento do Brasil?

As conclusões da pesquisa trouxeram muitas novidades. Em primeiro lugar, mostraram que, embora classificada por traços de modernidade, a sociedade paulistana ainda conservava uma mentalidade escravocrata diante das dificuldades de transformar o escravo em cidadão.

O estudo concluiu também que na sociedade de classe o negro foi incorporado lentamente e de forma subalterna, isto é, ocupando as posições mais desqualificadas no mercado de trabalho.

Por fim, o projeto de pesquisa da Unesco aproximou a pesquisa acadêmica e o movimento de protesto negro como fonte de pesquisa.

Nesse contexto, a pesquisa identificou situações de preconceito de cor existentes nos comportamentos dos brancos e negros de diferentes classes sociais.

Em geral, as elites mantinham a mentalidade escravocrata tradicional, admitindo contato com os negros quando as relações eram privadas, restritas ao ambiente familiar, e afastando-os quando as relações eram públicas e aconteciam fora de casa.

Nas palavras de Florestan Fernandes e Roger Bastide (1955, p. 11), a dinâmica moderna das relações raciais estava no fato de que já existia

> um novo tipo de preto (que) afirmava-se cada vez mais, com a transformação do escravo em cidadão, e o branco não sabia mais que atitude tomar para com ele, pois os estereótipos tradicionais já não se aplicavam a esse negro que subia na escala social. E havia maior disposição de competir com o branco, fato esse relativamente recente incorporado dos ideais de vida urbana.

Os autores afirmaram ainda que o "preconceito de cor estava associado a um preconceito de classe [...] e funciona como um instrumento de luta econômica, a fim de permitir a dominação mais eficaz de um grupo sobre o outro" (p. 142).

Outro tópico da pesquisa era o efeito do controle social exercido pelas instituições (igreja, polícia e escola etc.) para subordinar os negros, impossibilitando-os de lutar por melhores posições na sociedade. O documento destacou que os líderes dos protestos negros eram exceção àquela regra e, portanto, capazes de estimular a cidadania.

A pergunta inicial do projeto – como solucionar o dilema da integração dos negros na sociedade de classes – recebeu uma resposta otimista. A superação do preconceito de classe ocorreria com a melhoria da situação econômica dos negros em decorrência do desenvolvimento do país. Reconhecia que o preconceito racial convivia com a modernidade, mas como uma reminiscência do passado, e sua tendência era arrefecer diante da modernização das relações sociais capitalistas em longo prazo.

AS IDEIAS DE THALES DE AZEVEDO

Os estudos da Bahia concluíram que a pobreza e o subdesenvolvimento na região Nordeste explicavam a existência de um maior número de negros na base da pirâmide social.

Na relação entre cor e posição social, o efeito da discriminação pela cor foi minimizado; e a posição social, transformada no critério amplamente observado para justificar a falta de mobilidade e, consequentemente, a pobreza da população negra.

A pesquisa da Unesco na Bahia concluiu que a condição social é preponderante para definir a desigualdade da sociedade brasileira e que tal situação não atingia apenas os negros, mas toda a base da estrutura social.

Dando continuidade a seus estudos, Thales de Azevedo (1955) abriu uma perspectiva teórica para mudar a compreensão das desigualdades raciais brasileiras. Segundo ele, no Brasil há a sobreposição da hierarquia das classes (o grau de riqueza ou renda para definir a posição social) e da hierarquia das raças (prestígio social advindo da cor ou origem familiar).

Na caracterização de Azevedo, "brancos" eram não apenas os ricos, mas também a classe média mestiça (morena ou mulata) e letrada (com nível de educação correspondente ao ensino médio). "Pretos" eram os pobres e iletrados, ainda quando de cor clara ou parda.[21]

....

21. Para mais informações, consulte Maio e Santos, 1996, p. 153.

Enfim, a pesquisa da Unesco foi importante porque reconheceu a existência do preconceito racial no Brasil, porém presenciamos mais uma vez o ocultamento da cor como condicionante da desigualdade entre os brasileiros. É bom lembrar que o ocultamento da cor se adequou perfeitamente ao mito da democracia racial.

5
A ditadura militar e o protesto negro

No final dos anos 1960, o desenvolvimento teórico no campo das relações raciais brasileiras seguiu novos caminhos, agora orientados pela efervescência das manifestações contra a ditadura militar.

Nesse contexto, as organizações negras estreitaram o relacionamento com os ideais da esquerda brasileira subjacentes às organizações legais ou clandestinas – como os sindicatos e a Teologia da Libertação –, envolvendo-se também em organizações e tendências partidárias, na música de protesto, no cinema novo, no teatro do oprimido e nas teorias marxistas e anticapitalistas (Guimarães, 2002).

O cenário internacional da segregação racial – que provocou fortes manifestações pelos direitos civis nos Estados Unidos – e as últimas guerras de independência da África contra o colonialismo europeu influenciaram a compreensão da dimensão internacional do racismo entre os povos da diáspora africana.

No período pós-1964, muitos jovens engajaram-se politicamente em prol da igualdade e da liberdade democrática. A juventude negra não ficou de fora desse movimento – e, aliando consciência política e consciência racial, contribuiu para mudar significativamente o padrão das relações raciais brasileiras.

A ORGANIZAÇÃO CONTRA O RACISMO

Os estudiosos das ciências sociais concordam que os movimentos sociais têm o papel de democratizar a sociedade (Gohn, 1991). Essa é uma tarefa importante assumida por vários movimentos sociais nos anos 1970 em defesa das liberdades políticas (Movimento pelas Diretas Já), direitos humanos (Anistia aos presos políticos, fim das torturas e campanhas contra a violência policial), melhoria da qualidade de vida (movimento contra a carestia, por mais creches) o direito de greve e, por fim, o direito às diferenças com forte expressão nas conquistas das mulheres, negros e homossexuais.

O que se quer concluir é que os movimentos sociais ou populares despertam para a mudança de mentalidade e reformulação das instituições sociais.

O protesto negro contra a discriminação racial, contra a violência policial e a favor da valorização da identidade e cultura negra, na fase da ditadura militar, também cumpriu seu papel, ao despertar a sociedade do mito da democracia racial.

A MOVIMENTAÇÃO NACIONAL CONTRA O RACISMO

Em 1971, foi criado em Porto Alegre (RS) o Grupo Palmares, precursor do movimento negro moderno no Brasil. O grupo propôs que o dia 13 de maio, considerado a data da falsa abolição, deixasse de ser comemorado. Em seu lugar seria eleito o dia 20 de novembro, data do assassinato de Zumbi dos Palmares.

Assim, em 20 de novembro daquele ano, o Grupo Palmares realizou o primeiro ato de repúdio à história do Brasil em homenagem a Zumbi.

Na época, a conjuntura repressiva e recessiva dos anos 1970 impunha sérias restrições à participação social da população negra. Em resposta a esse mecanismo de exclusão surgiu a mobilização da juventude negra, por meio de manifestações culturais que, por si sós, representavam um protesto às condições de vida a que estavam submetidos e ao modelo racial vigente.

A manifestação da juventude negra revelou uma identidade étnica antes reprimida pelo ideal de embranquecimento e encontrou ressonância na luta norte-americana pelos direitos civis e nas guerras de libertação dos povos africanos de Angola, Moçambique e Guiné-Bissau.

No Rio de Janeiro surgiu o movimento *soul*, batizado posteriormente de "Black Rio". Consistia em inúmeros bailes, frequentados por uma juventude negra constituída não apenas de trabalhadores, mas também de estudantes secundaristas e universitários. Esses bailes reuniam milhares de jovens e acabaram interligando os jovens das zonas norte e sul do Rio de Janeiro. Os bailes *soul* do Renascença Clube tornaram-se o ponto de encontro de estudantes e trabalhadores.

A força do movimento *soul* também conquistou a juventude negra de São Paulo que frequentava os bailes da Chic Show, Black Mad, Os Carlos, Clube da Cidade e outras equipes do gênero. Em meados da década de 1970, a periferia da cidade viu surgir inúmeros grupos de dança de rua.

A partir de 1974, o debate sobre a realidade do negro atingiu o Centro de Estudos Afro-Asiáticos, a Universidade Federal Fluminense e o Grêmio de Arte Negra Escola de Samba Quilombo, sob a liderança de Antônio Candeia Filho.

Na Bahia – outro centro de efervescência cultural da época –, ocorreu o mesmo processo. O Bloco Afro baiano Ilê Ayê, inaugurado em 1974, transformou-se na maior expressão da negritude com identidade étnica na cultura de matriz africana. O palco desse cenário foi o Curuzu, na Liberdade, bairro de maior população negra na cidade de Salvador.

Essa efervescência estimulou o surgimento de outros blocos afro, como o Olodum e o Araketu, e potencializou o afoxé mais tradicional – representado pelos Filhos de Gandhi –, criando uma nova onda musical, corpórea, literária e estética da negritude baiana. Assim, os principais elementos da raiz civilizatória das etnias gege, ketu e angola se popularizam.

No rastro da efervescência cultural e política contra a ditadura militar ocorreu o renascimento de manifestações de protesto negro em Minas Gerais, Santa Catarina, Espírito Santo, Alagoas e Maranhão.

A partir de 1976, iniciaram-se os contatos no eixo Rio-São Paulo. As discussões entre esses dois polos metropolitanos se dariam em um ponto fundamental: a criação de um movimento negro de caráter nacional. Assim são lançadas as bases do Movimento Unificado Contra a Discriminação Racial (MUCDR), posteriormente chamado de Movimento Negro Unificado (MNU).

O MOVIMENTO NEGRO UNIFICADO (MNU)

No dia 7 de julho de 1978, foi fundado o Movimento Unificado Contra a Discriminação Racial, com um ato público que reuniu milhares de pessoas nas escadarias do Teatro Municipal, na Praça Ramos de Azevedo, centro de São Paulo. A manifestação paulista de rua recebeu o apoio e a presença de representantes de vários estados do Brasil. Todos repudiaram, denunciaram e exigiram providências diante da discriminação racial sofrida por quatro atletas negros do time de voleibol do Clube de Regatas Tietê. Também repudiaram o assassinato, pela polícia, do jovem Robson Silveira da Luz, operário negro da periferia de São Paulo.

A grande imprensa brasileira pouco noticiou o fato. Já o jornal *Versus*, da imprensa negra alternativa, realizou ampla cobertura.

Segundo Hamilton Cardoso, militante e jornalista dessa época, o Movimento Unificado Contra a Discriminação Racial foi idealizado pelo Núcleo Negro Socialista, que foi criado por universitários negros do eixo São Paulo/Campinas/São Carlos e pelos jornalistas que atuavam no jornal *Versus*. O propósito era atuar na luta antirracismo. O Núcleo reuniu lideranças negras estudantis de vários estados brasileiros.

O Núcleo Negro Socialista pretendia aglutinar não só o negro, mas todos aqueles que sofriam discriminações: negros, mulheres, indígenas etc., o que explica a sigla inicial MUCDR (Movimento Unificado Contra a Discriminação Racial).

Em relação às comemorações do dia 13 de maio, o Núcleo propunha sair às ruas, porque avaliava que era uma data popularmente celebrada para enaltecer a benevolência da princesa Isabel. Por isso, necessitava de uma visão mais crítica sobre o significado da Abolição da Escravatura e o papel histórico da ideologia da democracia racial.

Após intensos debates, o dia 13 de maio entrou no calendário de luta como o Dia Nacional de Luta Contra o Racismo. Já o dia 20 de novembro, Dia Nacional da Consciência Negra, representaria a ampliação da consciência social contra o racismo, buscando resgatar e valorizar a memória de Zumbi dos Palmares.

Segundo Hamilton Cardoso, a primeira fase da história do MUCDR teve uma grande vitória na experiência de combate ao racismo dentro dos movimentos de esquerda, mas fracassou em seu processo de implementação. O Núcleo Negro Socialista nunca chegou a definir uma política antirracismo, o que de certa forma contribuiu para o seu enfraquecimento.

Em 1979, o Movimento Unificado Contra a Discriminação Racial passou a se chamar Movimento Negro Unificado (MNU) (Ianni, 2005). Com ele, inaugurou-se o protesto nas ruas para denunciar o mito da democracia racial, a violência policial e a pobreza da população negra. Essa habilidade política inspirou diversas organizações espalhadas por todo o território brasileiro.

Algumas conquistas políticas, históricas e culturais dos negros ao longo da história

Início da Guerra dos Palmares (1690) • Revolta dos Malês (1837) • Criação do Terreiro do Gantois (1849) • Fundação da Escola de samba Deixa Falar (1908) • Fundação da Tenda de Umbanda Nossa Senhora da Piedade (1908) • Revolta da Chibata (1910) • Criação do Ilê Axé Opó Afonjá (1910) • Lançamento do Jornal *Menelick* (1916) • Lançamento de "Pelo telefone", primeiro samba a ser gravado (1916) • Fundação da Escola de Capoeira Mestre Bimba (1918) • Surgimento da Frente Negra Brasileira (1930) • Fundação da União Geral das Escolas de Samba (1934) • Criação do Centro Esportivo de Capoeira Angola Mestre Pastinha (1941) • Fundação da Sociedade Beneficente e Recreativa São Jorge do Engenho Velho – Casa Branca (1943) • Criação do Teatro Experimental do Negro (1945) • O Brasil assina a Convenção sobre a Eliminação de Todas as Formas de Discriminação Racial (1968) • Fundação do Ilê Aiyê (1974) • Criação do Instituto de Pesquisa e Cultura Negra – IPCN (1975) • Surgimento do Movimento Negro Unificado (1978) • Surgimento da Pastoral Afro-brasileira (1978) • Fundação do Ilê Asipa (1980) • Missa dos Quilombos (1981) • Criação do Conselho de Participação e Desenvolvimento da Comunidade Negra (1984) • Centenário da Abolição (1988) • A Lei Caó criminaliza o racismo (1988) • Lei de titulação das terras dos remanescentes de quilombos (1988) • Marcha da Imortalidade de Zumbi dos Palmares (1995) • Primeira titulação de terra de quilombola em Oriximiná, Pará (1995) • Conferência de Durban (2001) • Criação da Secretaria Especial de Políticas de Promoção da Igualdade Racial (2003) • Promulgação da Lei n. 10.639/2003, que determina o ensino de História da África e da cultura afro-brasileira nos currículos escolares (2003) • Projeto de Lei n. 3.627/2004, que institui reserva de vagas para estudantes negros e indígenas de escolas públicas (2004).

Fonte: Néia, 1994.

Enquanto as organizações negras fundadas entre 1930 e 1960 desenvolveram resistência cultural e política sem realizar uma crítica pública ao mito da democracia racial – com exceção da Frente Negra Brasileira, da imprensa negra e do Teatro Experimental do Negro –, as organizações fundadas após o surgimento do MNU adquiriram expressão política contestatória, pois denunciavam publicamente suas demandas, amparadas na garantia constitucional de exercer seus direitos e também na construção da identidade negra.

Entre seus eixos de atuação estavam: atividades recreativas que valorizassem a identidade cultural negra; crítica ao sistema educacional e promoção da educação antirracista; crítica aos órgãos de segurança pública quanto à forma preconceituosa de abordar a juventude negra; denúncia da relação de gênero e raça machista e patriarcal e estímulo à autoestima da mulher negra; denúncia da desigualdade no mercado de trabalho; abertura de área de estudos epidemiológicos para a saúde da população negra; valorização da autoestima dos adeptos da religião de matriz africana; orientação para a regularização fundiária das terras dos remanescentes de quilombos; pesquisa acadêmica e/ou estatística com recorte de raça/cor.

6
A redemocratização e as transformações simbólicas e concretas

Nos anos 1980 e 1990, o ideal antirracista travou uma guerra ideológica com as instituições brasileiras (Estado, Igreja, universidades, partidos políticos, sindicatos, centros de estudo, institutos de pesquisa e estatísticas, empresas e órgãos públicos) com o objetivo de conquistar maior participação social, isonomia econômica e valorização identitária.

Nesse balanço final, a mentalidade de tradição escravocrata mudou mais em seus aspectos simbólicos do que materiais. Mas mudou.

AS MUDANÇAS NA SOCIEDADE

A Igreja Católica fez uma revisão crítica do seu papel conciliador na escravidão colonial e o papa João Paulo II pediu perdão pelo tratamento dado aos negros e pela violência cometida contra os indígenas da América.

A primeira missa dos quilombos aconteceu em 1981, em frente à Igreja do Carmo, no Recife, mesmo local onde, em 1695, a cabeça de Zumbi foi exposta pelo bandeirante Domingos Jorge Velho.

Em 1988, ano do centenário da Abolição, a Igreja celebrou nova missa dos quilombos, lembrando os valores da cultura afro-brasileira e homenageando tanto Zumbi como a população negra adepta do catolicismo (Borges, 2001).

Os sindicatos e alguns setores empresariais se defrontaram com a reivindicação de melhoria da situação dos negros no mercado de trabalho, com base nos quadros estatísticos que apontavam o alto número do desemprego entre a população negra, iniquidade salarial entre negros e brancos com a mesma ocupação e práticas racistas na admissão do emprego. Haja vista o costume de exigir "boa aparência" para determinadas ocupações. As maiores vítimas dessa mentalidade excludente eram as mulheres, uma vez que o padrão de beleza intencionado era do tipo europeu.

Também o círculo acadêmico – universidades, congressos internacionais, colóquios científicos, centros de estudos e institutos de pesquisa – intensificou os estudos a fim de diagnosticar novos indicadores das desigualdades raciais. Os dados coletados e divulgados foram (e continuam sendo) instrumentos importantes pra redimensionar o racismo no Brasil.

No contexto da reforma pluripartidária e do aparecimento de novos partidos políticos, as instituições governamentais se adaptaram aos novos tempos e, sob pressão dos ativistas negros dos partidos políticos progressistas, ampliaram a participação política e a representação de parlamentares negros (tanto homens quanto mulheres).

No âmbito do poder executivo foram criados os primeiros órgãos governamentais especializados na defesa da população negra.

Em São Paulo, o governador Franco Montoro instituiu o Conselho Estadual de Participação e Desenvolvimento da Comunidade Negra (1984); em Brasília, o presidente José Sarney instituiu a Fundação Cultural Palmares, vinculada ao Ministério da Cultura (1988), e o presidente Lula criou a Secretaria Especial de Política de Promoção da Igualdade Racial (2003), vinculada à Presidência da República. Estava aberto o caminho para as políticas públicas destinadas a promover a igualdade racial.

O Conselho Estadual de Participação e Desenvolvimento da Comunidade Negra de São Paulo foi o primeiro órgão do gênero no país. Tinha como objetivo formar profissionais para lidar com o problema da discriminação racial. Seu modelo original priorizava algumas áreas de atuação, como violência policial, educação, mercado de trabalho e meios de comunicação.

É interessante notar que a expansão dos conselhos é apontada como estratégia para ampliar a participação política institucional da comunidade negra. Tais conselhos vêm sendo implantados em vários municípios e estados brasileiros.

A Fundação Cultural Palmares foi criada durante os festejos oficiais do centenário da abolição com o objetivo de promover a integração cultural, econômica e política do negro no contexto do desenvolvimento do país. Entre suas atividades prioritárias está a emissão da certidão dos territórios de remanescentes dos quilombos.

A Fundação Palmares, os Conselhos Estaduais e as Coordenadorias do Negro no âmbito municipal são exemplos das mudanças e das iniciativas do Estado para a integração do negro na sociedade.

No âmbito do poder executivo federal, em 21 de março de 2003 – Dia Internacional pela Eliminação da Discriminação Racial –, o presidente Lula criou a Secretaria Especial de Política de Promoção da Igualdade Racial, em cumprimento às promessas eleitorais assumidas com setores do movimento negro engajados no Partido dos Trabalhadores.

Como já dissemos, em 2008 foi concedida a anistia póstuma a João Cândido, o "Almirante Negro", e na Praça XV, centro do Rio de Janeiro e palco da revolta, foi erguida uma estátua dele. Essa foi uma justa homenagem à saga heroica de João Cândido, que muito fez pela ampliação da cidadania na Marinha brasileira.

Na área da comunicação de massa, na década de 1990 surgiu a revista *Raça*. Essa publicação representou uma mudança no mercado editorial por apresentar uma editoria especializada na valorização da beleza negra e estética no campo da moda afro. Além disso, deu grande visibilidade a todas as expressões da cultura negra, trazendo matérias com personalidades do mundo artístico e autoridades prestigiadas na sociedade brasileira.

A revista consolidou-se no mercado editorial agregando o "black is beautiful" ao mercado profissional da estética negra. Transformou-se no veículo de imagem positiva das personalidades negras da indústria cultural, especialmente no campo da música jovem, abordando o hip-hop, o pagode, a axé-music e o samba de raiz, entre outros estilos.

OS AVANÇOS NA LEGISLAÇÃO ANTIRRACISTA

O Brasil não é um país que vê com bons olhos a ruptura capaz de gerar mudança rápida e inovadora na sua cultura política. Por isso, muitos acreditam que os brasileiros são mais afeitos à mentalidade conservadora do que às ideias inovadoras que revolucionam costumes e comportamentos. As mudanças ocorrem, sim, mas de modo lento e gradual.

Na década de 1980, por pressão social e insistência das manifestações políticas, as eleições diretas permitiram mudanças na legislação das relações raciais brasileiras.

Destacaremos a seguir três leis importantes que simbolizam o modo lento e gradual dos brasileiros de admitir mudanças que favorecem o combate ao racismo:

1) O art. n. 68 do Ato das Disposições Constitucionais Transitórias da Constituição Federal de 1988, favorável à titulação de terras de remanescentes dos Quilombos.

2) A Lei n. 7.716/1989, conhecida como Lei Caó, que criminalizou o racismo.

3) A Lei n. 10.639/2003, que alterou o art. n. 26 da Lei n. 9.394/1996 das Diretrizes e Bases da Educação Nacional e inclui no currículo oficial da rede de ensino a obrigatoriedade de inclusão de História e Cultura Afro-Brasileira e Africana.

A Lei Caó

Segundo o primeiro presidente do Conselho Estadual de Participação e Desenvolvimento da Comunidade Negra de São Paulo, Helio Santos, que auxiliou a Assembleia Constituinte a redigir a Constituição de 1988, "com Caó foi feito o esboço constitucional do projeto de criminalização do racismo, mais tarde aprovado pelos constituintes e hoje conhecido como Lei Caó".[22]

Entre a Lei Afonso Arinos e a Lei Caó haviam se passado 37 anos, e nesse período a lei se transformou em "letra morta", expressão popular que designa o não cumprimento da legislação.

Com a Lei Caó, o racismo e suas expressões correlatas passaram a ser prescritos em lei como crimes inafiançáveis, provocando uma mudança – mais simbólica do que real – no código da legislação brasileira. Isso porque ficava muito difícil julgar práticas racistas à luz do mito da democracia racial.

O artigo n. 68

A titulação e a regularização das terras quilombolas no Brasil são uma reivindicação antiga. A Constituição de 1988, por meio do artigo n. 68 do Ato das Disposições Constitucionais Transitórias, diz que "aos remanescentes das comunidades dos quilombos que estejam ocupando suas terras é reconhecida a propriedade definitiva, devendo o Estado emitir-lhes os títulos respectivos". Tal lei deu nova identidade racial à população negra rural e aos remanescentes das comunidades dos quilombos, representando uma mudança sem precedentes no período pós-abolição.

Vinte anos após a instituição dessa lei, a Comissão Pró-Índio de São Paulo (2008, p. 1) fez um balanço das terras quilombolas e concluiu que

....

22. Entrevista com Hélio Santos em dezembro de 1991, na sede do Conselho Estadual de Participação e Desenvolvimento da Comunidade Negra de São Paulo.

os territórios quilombolas regularizados no Brasil estão chegando à marca de um milhão de hectares. Essa área – mais precisamente, 980 mil hectares – está distribuída em 96 territórios quilombolas e 185 comunidades. Se considerarmos todos os títulos já concedidos (incluindo os não regularizados, cujo valor legal ainda pode ser questionado), a conta passa de um milhão de hectares (1.171.213 até setembro de 2008). Embora os números pareçam significativos, considera-se pequeno em relação à quantidade de comunidades quilombolas existentes no país, estimada em três mil.

A Lei n.10.639/2003

Educação e mobilidade social sempre foram um binômio importante para o fim da estratificação social. Desde os projetos educacionais da Frente Negra Brasileira até as recentes ações afirmativas no ensino superior, apelidadas de políticas de cotas, espera-se que a educação propicie a integração do negro na sociedade brasileira.

Muitos especialistas e educadores contribuíram para o aperfeiçoamento do sistema educacional brasileiro denunciando suas imperfeições no tocante ao acesso universal, à garantia de permanência e à diversidade do conhecimento veiculado.

Estudos e pesquisas realizadas nas últimas décadas mostram que o negro é discriminado nos livros didáticos (Silva, 1995) e que os não brancos têm oportunidades educacionais limitadas em relação aos brancos da mesma origem social. Outro dado interessante é que a escolarização dos negros propicia maior renda, porém em menor proporção do que ocorre com os brancos (Hasenbalg, 1979).

A revisão historiográfica do Quilombo dos Palmares e a elevação de Zumbi à categoria de herói nacional lançaram as bases para a inclusão, no sistema educacional, do conhecimento relativo aos três povos formadores da sociedade brasileira e do respeito às diferenças próprias da identidade étnica.

A inserção da diversidade nas políticas educacionais, nos currículos e na formação dos professores está sendo gradualmente implantada a partir da Lei n. 10.639/2003, que altera a Lei de Diretrizes e Bases da Educação e inclui no currículo oficial de escolas públicas e privadas do ensino básico o ensino da temática "História e cultura afro-brasileira e africana". A solidez dessa lei como estímulo à educação antirracista foi tamanha que se promulgou a Lei n. 11.645/2008, que trata da inclusão da cultura indígena nos currículos.

Na prática, o sistema educacional brasileiro deu passos largos em direção à adoção de programas de ações afirmativas, isto é, conjuntos de ações políticas e orçamentárias destinadas à correção de desigualdades raciais e sociais. Essas ações visam oferecer tratamento diferenciado a fim de corrigir desvantagens históricas e eliminar a marginalização criada e mantida pela estrutura social brasileira.

Essas mudanças, ainda em curso, desafiam os gestores educacionais a se posicionar favoravelmente à democratização das relações sociais e ao fim da desigualdade racial.

O MOVIMENTO NEGRO HOJE

Atualmente temos o que se convencionou chamar de Movimento Negro Brasileiro (MNB). Seus objetivos são combater o racismo manifesto nas relações sociais marcadas pelo preconceito e defender os direitos da população negra.

Engloba o conjunto das organizações negras do tipo sociedade recreativa, associação comunitária ou cultural, instituto de pesquisa, grupos e organizações não governamentais - além de personalidades e indivíduos engajados em ações políticas, culturais, sociais, religiosas, recreativas e desportivas - que lutam para promover a igualdade racial.

As organizações contemporâneas proclamam-se herdeiras de Dandara e Zumbi e de todos os guerreiros que lutaram por liberdade, pelo resgate da ancestralidade e pelo progresso material (bens e riquezas) e imaterial (sabedoria e conhecimento) da civilização africana.

O Movimento Negro Brasileiro está organizado em todas as regiões brasileiras, muito embora se concentre nos centros urbanos do Sudeste. Nas regiões Norte e Nordeste, as maiores expressões são as entidades de características culturais e religiosas de matriz africana. Em ambos os casos, trata-se de organizações da sociedade civil do tipo informal e sem estatuto civil, mas que compartilham unidade política de ação ao combater o racismo.

O maior âmbito de atuação das entidades é o município, e um pequeno número das organizações tem caráter nacional. Há também grande vinculação das organizações com instituições religiosas, universitárias, sindicais e partidárias, principalmente na utilização do seu espaço físico e apoio financeiro, o que de certa forma talvez comprometa a autonomia e o pensamento crítico.

A formação da identidade negra e do pensamento crítico à exclusão social ocorre nas ações culturais, comunitárias e políticas de áreas diversas: educação, saúde, mercado de trabalho, direitos humanos, gênero, comunicação, terras de quilombos, religiosidades, juventude e relações internacionais.

As datas comemorativas mais importantes do Movimento Negro Brasileiro são: 21 de março (Dia Internacional pela Eliminação da Discriminação Racial); 13 de maio (Dia Nacional de Denúncia Contra o Racismo); 25 de julho (Dia da Mulher Negra Afro-latino-americana e Caribenha) e 20 de novembro (Dia Nacional da Consciência Negra).

Conclusão

O passado brasileiro comprometido com relações sociais marcadas pelas teorias racistas foi-se modificando ao longo da história.

Hoje, podemos dizer que o mito da democracia racial está sendo desconstruído pela consciência negra e por todos os brasileiros. Estes estão conhecendo um pouco mais a história do nosso país sob o prisma da resistência e da contribuição intelectual dos negros brasileiros – e também dos não negros comprometidos com um processo de mudança.

A historiografia brasileira ainda não esgotou o campo das pesquisas ligadas aos processos históricos que revelam a participação do negro na sociedade.

A dinâmica entre brancos e negros tem sido alterada por pressões do movimento social negro. Hoje, as relações raciais modernas instituídas nos últimos trinta anos apontam a educação como a saída democrática para combater o racismo e, ao mesmo tempo, promover a igualdade racial.

Sabemos que a democracia se renova com participação, não apenas no restrito sentido político, mas também no amplo sentido da democracia econômica – que significa criar gradualmente o acesso de todos aos bens e serviços da nação para diminuir a desigualdade social, haja vista aquela que separa negros e brancos.

O Brasil deu passos largos para garantir o direito dos negros ns últimos anos. A inclusão já é garantida por leis, mas faltam respostas políticas mais contundentes para modificar a mentalidade que admite mais ações simbólicas do que materiais e efetivas.

Está em via de construção uma saída desafiadora ao Estado brasileiro para a inclusão social dos negros: a implantação das políticas públicas contra a discriminação e a desigualdade racial. Trata-se de um conjunto de programas e ações governamentais com a finalidade de promover a igualdade racial entre negros e brancos.

Essa ideia surgiu com o Projeto de Lei conhecido como Estatuto da Igualdade Racial, que estabelece políticas de ações afirmativas para reduzir as desigualdades raciais relativas a: distribuição de renda, discriminação no mercado de trabalho, educação, saúde, comunicação, acesso à moradia e à terra e proteção contra intolerância religiosa.

O Projeto de Lei n. 6.264/2005 do Senado Federal foi originalmente apresentado à Câmara Federal em 2000, e desde então recebe modificações e tramita no Congresso Nacional. Já foi aprovado na Câmara Federal e aguarda votação no Senado – para posteriormente ser sancionado pelo presidente da República.

Qual é a importância do Estatuto? Ele cria uma nova institucionalidade para formular, coordenar e programar políticas públicas para combater o racismo no âmbito federal, estadual e municipal.

Não se trata de uma tarefa simples. O Estatuto tem por objetivo reunir as inúmeras iniciativas positivas em todas as áreas governamentais e ampliar seu alcance nacional, por meio das seguintes medidas: formação continuada de professores no quadro da educação antirracista; divulgação das diretrizes curriculares nacionais para a educação das relações étnico-raciais e para o ensino de história e cultura afro-brasileira e africana; reserva de vagas na universidade; programas de promoção da diversidade étnica; revisão de livros didáticos para erradicar enfoques preconceituosos e inadequados sobre a história da África e do negro no Brasil; educação específica para os quilombolas; inserção do quesito "cor" no censo escolar; implantação da Lei n. 10.639/2003 nas escolas públicas e privadas; política nacional de saúde da população negra; titulação das terras de quilombos.

O grande desafio é romper o isolamento das iniciativas da gestão pública no campo da promoção da igualdade racial e consolidar uma política nacional e contínua, capaz de fazer convergir os objetivos da consciência negra de todos os brasileiros com as diretrizes governamentais.

As desigualdades raciais já revisitadas ao longo da história encontram no Estatuto da Igualdade Racial a base para que experimentemos a igualdade e a liberdade numa sociedade multirracial.

Bibliografia

ABRAMO, Helena; BRANCO, Pedro Paulo Martoni. *Retratos da juventude brasileira: análises de uma pesquisa nacional*. São Paulo: Perseu Abramo, 2005.

ARAÚJO, Joel Zito. *Negação do Brasil: o negro na telenovela brasileira*. São Paulo: Senac São Paulo, 2000.

ARRUDA, Maria Arminda do Nascimento. "Dilemas do Brasil moderno: a questão racial na obra de Florestan Fernandes". In: MAIO, Marcos C.; SANTOS, Ricardo V. (orgs.). *Raça, ciência e sociedade*. Rio de Janeiro: Editora da Fiocruz/Centro Cultural Banco do Brasil, 1996.

AZEVEDO, Thales. *As elites de cor: um estudo de ascensão social*. São Paulo: Companhia Editora Nacional, 1955.

BASTIDE, R; FERNANDES, F. *Brancos e negros em São Paulo*. São Paulo: Companhia Editora Nacional, 1971.

BOBBIO, Norberto; MATTEUCCI, Nicola; PASQUINO Gianfranco. *Dicionário de política*. 7. ed. Brasília: Editora da UnB, 1995.

BORGES, Rosangela. *Axé, madona Achiropita!* São Paulo: Pulsar, 2001.

CARNEIRO, J. F. *Imigração e colonização no Brasil*. Rio de Janeiro: FNF, Cadeira de Geografia, Publicação avulsa, n. 2, 1950.

CARVALHO, José Murilo. *Os bestializados: o Rio de Janeiro e a República que não foi*. 6. ed. São Paulo: Companhia das Letras, 1987.

CASTELLS, M. *O poder da identidade*. Rio de Janeiro: Paz e Terra, 1999.

CHAUI, Marilena. *Simulacro e poder: uma análise da mídia*. São Paulo: Perseu Abramo, 2006.

COMISSÃO PRÓ-ÍNDIO DE SÃO PAULO. *Relatório 2008: Terras de Quilombo*.

DAMATTA, Roberto. *Relativizando: uma introdução à antropologia social*. Petrópolis: Vozes, 1981.

FAUSTO, Boris. *Negócios e ócios: história da imigração*. São Paulo: Companhia das Letras, 1997.

FERNANDES, Florestan. *A integração do negro na sociedade de classes*. São Paulo: Dominus, 1965 [3. ed., em dois volumes: Ática, 1978].

GOHN, Maria da Glória. *Movimentos sociais e a luta pela moradia*. São Paulo: Ática, 1991.

GONZALEZ, Lélia; HASENBALG, Carlos A. *Lugar de negro*. Rio de Janeiro: Marco Zero, 1982.

GUIMARÃES, Antonio Sérgio Alfredo. *Classes, raças e democracia*. São Paulo: Editora 34, 2002.

HASENBALG, Carlos Alfredo. *Discriminação e desigualdades raciais no Brasil*. Rio de Janeiro: Graal, 1979.

HOBSBAWM, Eric. J. *Nações e nacionalismo desde 1780*. Rio de Janeiro: Paz e Terra, 1991.

IANNI, Octavio. *Raças e classes sociais no Brasil*. São Paulo: Civilização Brasileira, 1972.

IANNI, Octavio *et al*. *O negro e o socialismo*. São Paulo: Perseu Abramo, 2005.

INSTITUTO DE ESTUDOS DA RELIGIÃO – Iser. *Catálogo de entidades do movimento negro no Brasil*. Rio de Janeiro, 1988.

INSTITUTO PRÓ-ÍNDIO DE SÃO PAULO. *Terras quilombolas: balanço 2008*. São Paulo: Instituto Pró-Índio, 2008.

IPEA – Instituto de Pesquisas Econômicas Aplicadas. *Boletim de Políticas Sociais – Acompanhamento e análise n. 13, edição especial*, 2007, capítulo "Igualdade racial", p. 281. Disponível em: <http://www.ipea.gov.br/sites/000/2/publicacoes/bpsociais/bps_13/BPS_13_completo.pdf>.

JACINO, Ramatis. *O branqueamento do trabalho*. São Paulo: Nefertiti, 2008.

KUPSTAS, Marcia (org.). *Identidade nacional em debate*. São Paulo: Moderna, 1997.

LEITE, José Correia; SILVA, Luiz (Cuti). *E disse o velho militante José Correia Leite*. São Paulo: Secretaria Municipal de Cultura, 1992.

MAIO, Marcos C.; SANTOS, Ricardo V. (orgs.). *Raça, ciência e sociedade*. Rio de Janeiro: Editora da Fiocruz/Centro Cultural Banco do Brasil, 1996.

MOURA, Clóvis. *A dialética radical do Brasil negro*. São Paulo: Editora Anita, 1994.

______. *Dicionário da escravidão negra no Brasil*. São Paulo: Edusp, 2005.

______. *As injustiças de Clio*. Belo Horizonte: Oficina de Livros, 1990.

______. "Organizações negras". In: SINGER, Paul; BRANT, Vinícius C. (orgs.). *São Paulo: o povo em movimento*. 4. ed. Petrópolis: Vozes; São Paulo: Cebrap, 1983, p. 143-75.

______. *Rebeliões da senzala*. São Paulo: Ciências Humanas, 1981.

MUNANGA, Kabengele. "Racismo: da desigualdade à intolerância". São Paulo, Fundação Seade, *Revista São Paulo em Perspectiva*, n. 4, v. 2, abr./jun. 1990, p. 51-4.

______. *Rediscutindo a mestiçagem no Brasil*. Petrópolis: Vozes, 1999.

NASCIMENTO, Abdias. *O genocídio do negro brasileiro*. Rio de Janeiro: Paz e Terra, 1978.

______. *O negro revoltado*. Rio de Janeiro: Nova Fronteira, 1982.

NASCIMENTO, Elisa Larkin. *Abdias Nascimento 90 anos – Memória viva*. Rio de Janeiro: Ipeafro, 2006.

NÉIA, Daniel. *Memória da negritude: calendário brasileiro da africanidade*. Brasília: Ministério da Cultura/Fundação Palmares, 1994.

"NEM ALMAS brancas, nem máscaras negras". *Versus*. Seção Afro-latino--América, jun.-set. 1978.

NOGUEIRA, Oracy. "Preconceito racial de marca e preconceito racial de origem. Sugestão de um quadro de referência para a interpretação do material sobre relações raciais no Brasil". *Anais* do XXXI Congresso Internacional de Americanistas, São Paulo, 1º ago.1954.

ORIENTAÇÕES *e ações para a educação das relações étnico-raciais*. Brasília: MEC/Secad, 2006.

PAIXÃO, Marcelo. "O ABC das desigualdades raciais: um panorama do analfabetismo da população negra através de uma leitura dos indicadores do Censo 2000". São Paulo, *Revista Teoria e Pesquisa*, n. 42/43, jan.-jul. 2004.

______. *Relatório de desenvolvimento humano: racismo, pobreza e violência*. Brasília: Pnud Brasil, 2005.

PASSOS, Eridam. *João Cândido: o herói da ralé*. São Paulo: Expressão Popular, 2008.

PRADO JR., Caio. *A formação do Brasil contemporâneo*. 21. ed. São Paulo: Brasiliense, 1989.

QUERINO, Manuel. *O colono preto como fator da civilização brasileira*. Salvador: Imprensa Oficial do Estado, 1918.

______. *A raça africana e os seus costumes na Bahia*. Salvador: Livraria Progresso, 1916.

RATTS, Alex. *Eu sou Atlântica: sobre a trajetória de vida de Beatriz Nascimento*. São Paulo: Imprensa Oficial do Estado de São Paulo/Instituto Kuanza, 2007.

SAFFIOTI, Heleieth. *Gênero, patriarcado e violência*. São Paulo: Fundação Perseu Abramo, 2004.

SANTOS, G.; SILVA, Maria Palmira (orgs.). *Racismo no Brasil: percepções da discriminação e do preconceito racial no século XXI*. São Paulo: Perseu Abramo, 2005.

SANTOS, Joel Rufino. *Zumbi*. São Paulo: Moderna, 1985.

______. "O negro como lugar". In: MAIO, Marcos C.; SANTOS, Ricardo V. (orgs.). *Raça, ciência e sociedade*. Rio de Janeiro: Editora da Fiocruz/Centro Cultural Banco do Brasil, 1996, p. 219-24.

SEYFERTH, Giralda. "Os paradoxos da miscigenação". *Estudos asiáticos*. Rio de Janeiro: Centro de Estudos Afro-Asiáticos, v. 20, 1991, p. 165-185.

SILVA, Ana Célia. *A discriminação do negro no livro didático*. Salvador: Ceao/CED, 1995.

SILVA, Joselina. "A união dos homens de cor: aspectos do movimento negro dos anos 40 e 50". *Estudos Afro-Asiáticos*. Rio de Janeiro, v, 25, n. 2, 2003, p. 215-36.

SILVA, Maria Palmira. "Identidade e consciência racial brasileira". In: Abong – Associação Brasileira de Organizações Não Governamentais *et al*. *Racismo no Brasil*. São Paulo: Fundação Peirópolis/Abong, 2002, v. 1, p. 53-64.

SKIDMORE, Thomas. *Preto no branco: raça e nacionalidade no pensamento brasileiro*. Rio de Janeiro: Paz e Terra, 1976.

SOUZA, Vanderlei Sebastião de. "Usos do passado: a 'eugenia negativa' nos trópicos – A política biológica e a construção da nacionalidade na trajetória de Renato Kehl (1928-1932)". In: Anais do XII Encontro Regional de História Anpuh-RJ, 2006. Disponível em: <www.rj.anpuh.org/Anais/2006/conferencias/VanderleiSebastiaodeSouza.pdf>.

TORRES, Alberto. *O problema nacional brasileiro*. Brasília: Editora da UnB, 1982.

VIANNA, Oliveira. *Populações meridionais do Brasil*. São Paulo: Edições da Revista do Brasil/Monteiro Lobato e Cia., 1920, p. 69.

______. *Populações meridionais do Brasil*. Rio de Janeiro: Paz e Terra, 1974.

WHITE, Timothy. *Queimando tudo: a biografia definitiva de Bob Marley*. Rio de Janeiro: Record, 1999.

Grupo Summus
www.gruposummus.com.br
www.gruposummus.com.br
Acesse, conheça o nosso catálogo e cadastre-se para receber informações sobre os lançamentos.

www.gruposummus.com.br

IMPRESSO NA
GRÁFICA
sumago
sumago gráfica editorial ltda
rua itauna, 789 vila maria
02111-031 são paulo sp
tel e fax 11 2955 5636
sumago@sumago.com.br